CEO◎
건강경영

Executive
Health

위대한 기업으로 가는 첫 번째 조건

CEO
건강경영

제임스 캠벨 퀵 외 지음 | 김영기 옮김

저자 서문__

먼저 이 책이 나오기까지 격려와 지원을 아끼지 않은 영국 런던 파이낸셜 타임스의 레이철 스톡에게 감사를 드린다. 또한 책 내용의 기초자료와 지원을 해 주었던 다음 3곳에 감사드린다. 첫째, 영국의 가장 큰 보험회사이며 병원 그룹인 BUPA의 후원이 있었기에 케리 쿠퍼의 연구가 가능했다. 아울러 텍사스주립대와 세계보건기구의 후원으로 제임스 퀵 교수와 조나단 퀵 박사의 연구가 가능했다. 특히 텍사스 주립대에서 허가한 2000~2001년간의 연구 휴가는 저자가 경영자의 건강에 대한 초창기 연구를 하게 되는 계기가 되었다. 아울러 본서가 탄생하기까지 여러 방면에서 도움을 준 가족들, 친구들 그리고 동료 학자들에게 감사드린다. 2000년 5월호 〈Academy of Management Executive〉에 경영자의 건강을 특집으로 다루었던 관계자들에게 감사를 드린다.

본서에 제시된 주장들은 저자와 다른 학자들의 그동안의 연구 결과를 반영한 것이며, 세계보건기구(WHO)나 텍사스 주립대의 공식 의견을 대변하는 것은 아니다.

추천의 글__

『CEO 건강경영』을 읽으면서 나는 수많은 경영자와 리더들이 봉착하는 극심한 업무 스트레스와 이로 인해 조직과 개인에 초래되는 심각한 결과들에 대해 새롭게 인식하게 되었다.

경영자와 리더들은 감당해야 할 책임의 막중함 때문에 심한 스트레스의 위험에 노출되어 있다. 조직 피라미드의 위로 올라갈수록 책임은 증대하고 CEO가 되면 조직 전체의 성패를 책임지게 된다. 누구와 의논할 수도 없이 외롭게 싸워야 하는 자리가 바로 CEO의 자리이다. CEO는 채용과 해고, 승진자의 결정, 많은 직원들의 직장을 박탈하는 구조조정 등 수많은 직원들의 삶에 영향을 미치는 의사결정을 비롯하여 극심한 스트레스의 원인이 되는 결단의 연속을 겪으며 살고 있다. 따라서 CEO를 비롯한 경영자의 책임과 정신적 부담은 실로 막중하다고 할 수 있다.

1986년에 회사의 CEO 자리에 오른 나는, 이후 3년 동안 수백 명의 직원을 해고해야 했다. 가장 괴로웠던 일은 정리해고 실무 책임자였던 인사팀장이 스트레스 관련 질병으로 사망한 일이다. 나도 회

사를 정상화시키는 과정에서 불면증, 외로움, 소외감, 좌절, 절망감
과 같이 본서에 나오는 수많은 스트레스 관련 증상들을 경험했다.
그런 경험을 통해 나는 정신적 스트레스 완화와 신체적 건강이 생존
의 열쇠라는 사실을 배웠다. 그나마 다행스러웠던 것은 내가 일과
가정 그리고 일과 취미생활의 조화를 지켰던 것이며, 또한 평생의
습관으로 지속해 왔던 수영과 조깅을 통해 스트레스로 인한 위험을
극복하고 육체적 건강을 지킬 수 있었다는 것이다. 또한 본서에서
강조하듯이 속마음을 기탄없이 털어놓을 수 있으며 조언을 얻을 수
있는 사람 즉, 경청자(confidant)의 역할을 나의 아내가 잘해 주었기
에 지금의 내가 있을 수 있었다.

   이 책은 경영자들이 사업에서뿐만 아니라 인생 자체에서 성공할
수 있도록 도와준다. 저자가 명쾌하게 설명하듯이 인생의 성공을 위
해서는 4가지 종류의 건강이 확보되어야 한다. 신체적 건강, 정신적
건강, 영적인 영감 그리고 인간관계적 건강이다. 저자들은 이 4가지
건강을 골고루 얻기 위한 방법들을 정확하게 제시하고 있다.

경영자들이 인생에서 실패하는 것은 직장에서의 높은 목표와 야망을 위해 끝없이 노력하는 동안 가족, 건강 그리고 인생의 다른 부분에 소홀해지기 때문이다. 든든한 이론을 근거로 한 이 책은 록펠러, 빌 게이츠, 캐서린 그래험 등 성공한 경영자들의 풍부한 사례를 통해 일에서의 성공을 쟁취하면서 동시에 가족과 자신의 건강을 잃지 않도록 안내해준다.

저자들이 제시하는 개념들을 잘 적용하면 여러분도 직장에서의 성공과 삶의 균형적 건강을 이룰 수 있다. 나는 이 책이 경영자들의 책꽂이는 물론 출장 가방에도 챙겨야 할 '바이블'이라고 생각한다.

조셉 조디 그랜트

역자 서문__

.

나는 대기업의 노무부장으로 일하면서 많은 스트레스를 받았지만, 스트레스를 해소하는 데 상식 이상의 특별한 이론이 있을 것이라고 생각하지 않았기 때문에 내 삶을 변화시키려는 노력도 하지 않았다. 그러던 중 1993년에 미국 텍사스 주립대학교에서 인적자원 관리(HRM)의 MS 석사과정 공부를 하게 되었고, 그곳에서 직무 스트레스 분야의 대표적인 학자인 제임스 캠벨 퀵 교수와 인연을 맺게 되었다. 당시 나는 유학생으로서 언어와 환경 변화로 인한 스트레스를 이겨 내는 데 다소 도움이 되지 않을까 하는 가벼운 마음으로 직무 스트레스 과목을 수강했다. 그러나 퀵 교수와의 만남은 놀라움의 연속이었다. 우선 수강생이 다른 과목보다 3배 이상 많을 정도로 인기가 있다는 점에 놀랐고, 학습내용에 '사회적 지원'이나 '경청자'와 같은 처음 접하는 내용들이 많은 것에 놀랐다. 또한 공부가 진행될수록 무릎을 치며 공감이 가고 바로 실천할 수 있는 내용들이 많다는 점에 놀랐다.

미국을 비롯한 서구 문화에서는 가정이나 직장에서 윗사람에게 의견을 솔직하게 피력하는 것이 가능하지만 유교문화권에 있는 우리나라에서는 직장인들이 윗사람이나 동료에게 자신의 감정이나 의견을 솔직하게 피력하기 어렵다. 따라서 잠재된 갈등이나 이로 인한 스트레스가 서양 사람보다 많다.

우리보다 인간관계로 인한 스트레스가 적은 미국 사람들도 스트레스 방지와 이에 관련된 교육을 받는 것을 중요시하는 점을 고려할 때, 우리나라 사람들이 이 분야에 대한 지식을 넓히고 나면 그 효과는 훨씬 클 것이다. 이 점은 지난 10년간 스트레스와 Win/Win 갈등관리 등을 공부하고, 직접 실천해 본 나의 경험과 나의 교육을 받은 직장인들의 평가로 장담할 수 있다.

스트레스는 직장인이라면 누구나 벗어날 수 없는 중요한 문제이므로 우리나라에서도 이에 대한 연구와 교육이 빠른 시일 내에 확산되어야 한다. 이 책이 직무 스트레스에 관한 실천적 기법을 우리나라에 확산시키는 계기가 되길 희망한다.

차례__

CEO
건강경영

Executive
Health

Executive Health

Part I

당신의 가장 귀중한 자산: 성공을 위한 건강관리

Your greatest asset: managing health for success

경쟁, 갈등 그리고 경영자의 건강

나의 인생은 돌이켜보건대 스트레스와 긴장, 불안의 연속이었습니다.

그 가운데 형언하기 어려운 행복도 맛보았습니다.

사업 초기에서부터 큰 성취를 이루어냈고 어려움을 잘 극복했기 때문입니다.

우리는 더욱 강해졌으며 큰 책무를 감당할 수 있도록 스스로를 단련시켰습니다.

— 존 록펠러(John D. Rockefeller)

건강은 단지 질병이나 장애가 없는 상태만을 뜻하는 것이 아니다.

그것은 신체적, 정신적, 사회적으로 모두 건강함을 의미한다.

— 세계보건기구 헌장

지금의 빌 게이츠보다 몇 배나 크게 성공했던 존 록펠러는 일에 대한 집착과 사업 걱정 때문에 50세가 되기 전에 심한 스트레스와 긴장 그리고 건강상의 심각한 문제를 겪게 되었다. 그가 자신의 건강을 개선하기 위한 변화를 이루어내지 못했다면 그는 아마 90이 넘도록 살지 못했을 것이다. 건강을 해치지 않으면서 일에 대한 열정도 잃지 않기 위해 록펠러가 실천했던 노력과 방향은 시대를 초월해 모든 경영자들이 본받아야 할 영원한 숙제가 되고 있다.

경영자의 건강은 록펠러의 시대보다 오늘날 훨씬 더 중요한 이슈가 되고 있는데 그 이유는 다음과 같다.

1. 경쟁이 심화되어 성과에 대한 부담이 증대했으며, 경영자나 관리자들의 직장에 대한 안정성이 크게 줄어들었다.
2. 경영자와 관리자들의 역할이 과거보다 더욱 확장되었다. 오늘날은 조직사회라고 할 수 있을 정도로 대부분의 경제적 생산이 기업에서 이루어지기 때문이다. 오늘날의 경영자나 관리자들은 자신의 직장과 가족의 부양뿐 아니라 기업과 사회 전체에 미치는 영향이 더욱 늘어나고 있다.
3. 경영자와 관리자가 사망, 질병 등 위험에 처할 수 있는 위험 요인이 경제적, 조직적 면에서 산재하고 있다. 또한 경영자의 건강에 문제가 생기면 가족뿐 아니라 수많은 이해관계자들에게도 영향을 끼친다.

세계화, 복잡화 그리고 끝없는 변화

경영자를 위협하는 2가지 족쇄

오늘날의 경영자는 '경쟁의 과열'과 '직장의 불안'이라는 서로 상반된 두 가지 변화로 건강상의 위협을 받고 있다.

경쟁은 미래를 예측할 수 없을 정도로 갈수록 과열되어 가고 있다. 구(舊)경제 시스템의 약화와 신(新)경제 체제로의 지속적인 변화는 경영자와 관리자들에게 불확실성을 더해 주고 있다. 뿐만 아니라 경쟁의 과열과 책임이 가중되는 속에서도 경영자와 관리자들의 직장 불안정성은 더욱 심해지고 있다.

이 '두 가지 족쇄' 가 경영자에게 부담이 되는 이유는 경영환경의 변화가 점차 빨라지고 있으며 동시에 복잡해지고 있기 때문이다. 1999년도에 수많은 닷컴 기업들이 탄생하고 바로 그 다음해인 2000년에 극적인 쇠퇴를 겪었던 사례는 신경제(new economy)가 내포하고 있는 경영환경의 불확실성을 잘 보여 주는 사례이다. 기술의 발전 또한 경영의 복잡성을 증대시키고 있다. 기름투성이 작업복이 필요했던 한 세대 전의 기술자와는 달리 오늘날의 기술자는 심장병 전문의가 음파 심장측정기를 판독하는 것과 마찬가지로 석사학위 정도의 지식을 가지고 있어야 하며 엔진의 문제점을 추적하는 자동 진단 장비를 다룰 수 있어야 한다.

전체 경제시스템에서 첨단 기술로 인해 기업 경영의 복잡성이 증대되는 것은 곧 기업 경영의 변화 속도가 빨라짐을 의미한다. 이러한 변화 속도의 증대는 정보통신 분야의 기술 발전에서 쉽게 볼 수 있다. 통신 기업들의 시장점유율 변화는 기술 변화에 대한 대응의 차이에서 비롯된다. 예를 들어 마이크로소프트사와 경쟁적 위치에 있었던 기업들은 불과 1~2년 만에 시장 점유율의 20~30%가 감소하였다. 정보통신 분야뿐만 아니라 굴뚝 산업 등 구경제 분야에서도 급격하지는 않지만 많은 변화가 계속 진행되고 있다.

1980년대에 미 전략공군 사령관을 지냈던 존 체인(John Chain)은 인류 역사에서 중요한 변화의 단초를 찾기 위해서는 마틴 루터의 시대로 돌아가야 한다고 말한 바 있다. 그러나 보다 구체적으로는 냉전과 철의 장막의 시대가 끝남으로써 거대한 변화가 급격하게 일어났다. 냉전 이후의 변화를 변화의 제2물결이라고 할 때, 세계화의 첫번째 물결은 제1차 세계대전 이전에 동유럽인들이 미국 동부로 대단위 이주를 하면서 시작되었다고 볼 수 있다. 이들 이주 노동자들은 남자와 여자를 불문하고 철강업 등에서 일하기 시작했으며 이것이 오늘날 미국이 세계 경제의 중심이 되는 데 밑거름이 되었다.

마가렛 대처와 세계화

현재 진행되고 있는 세계화는 광범위한 분야의 산업에서 경쟁 구도를 변화시키고 있으며, 이러한 구조의 변화는 오늘날에도 계속되고 있다. 영국의 마가렛 대처 수상은 이러한 세계화의 변화 속에서 많은 영향을 끼쳤던 상징적 인물이다. 윈스턴 처칠의 보수당 정책을 신봉했던 대처는 1975년에 보수당의 당수가 되었으며, 1976년에 두 차례나 공산당에 대한 적대적인 연설을 함으로써 소련으로부터 '철의 여인(iron lady)'이라는 국제적인 별명을 얻게 되었다.

1979년에 영국 수상이 된 그녀는 1983년 포클랜드 전쟁을 감행했으며, 그 이후 영국 경제를 보다 경쟁적 시스템으로 변화시켜 나갔다. 이러한 대처의 경제정책은 당시에 세계화를 상징했으며, 정부의 규제가 없어진 자유 기업들이 크게 발전하는 계기도 되었으나, 아울러 사회적 비용도 발생시켰다. 예를 들면 대처 정부 이전까지는 영국 국민의 이혼율이 유럽 연합국가 중에서 가장 낮았으나 대처 정부 이후에는 이혼율이 가장 높은 수준으로 올라갔다.

국제적인 경영환경이나 시장이 세계화됨에 따라 경영자와 관리자 또는 기업들이 변화의 파도 속에 자신들을 보호할 수 있는 안전한 항구를 찾기가 점차 어려워졌다. 세계화의 진전은 국제적으로 상호 의존성을 심화시키는 결과를 가져오는데, 여기에는 물론 좋은 점도 있으나 부정적인 면도 있다. 예를 들면 첨단 기술의 발전으로 1990년대에 새로운 일자리가 많이 창출되었으나, 2000년도에 경제 불황이 닥치자 세계화로 비롯된 상호 의존성 때문에 많은 일자리가 다시 없어지고 말았다.

경쟁과 갈등

냉전 시대의 종료와 세계화의 도래로 인한 경영환경의 변화와 시장의 개방은 세계무대에서 일본, 유럽, 미국의 각축전을 본격화했다. 이러한 경쟁의 과열로 '무기'에 의해 치러졌던 과거의 전쟁은 이제 다국적 기업들에 의해 치러지는 '경제 전쟁'으로 그 양상이 변화되었다. 무기로 싸우던 시대에는 사망자 몇 명, 부상자 몇 명, 전투로 인한 정신질환 몇 명 등 희생자의 수가 비교적 쉽게 파악이 가능했지만 기업들의 전쟁 시대에는 패전으로 인한 희생이 얼마나 되는지 쉽게 파악이 되지 않는다. 기업들 간의 전쟁에서 발생하는 희생을 작업장의 폭력, 다른 근로자에 대한 신체적 위협 및 CEO의 납치 등으로 생각한다면 이는 전통적 전쟁의 희생에 쉽게 비유할 수 있을 것이다. 그러나 기업들의 전쟁에 의해 야기되는 희생은 경영자의 건강 위협과 스트레스 등 보다 점진적이고 광범위하며, 눈에 보이지 않는 경우가 많다.

건강을 위협하는 두 가지 상황

경쟁과 갈등은 경영자의 건강에 두 가지 영향을 미친다. 첫 번째는 '투쟁 혹은 도피 반응(fight or flight response)' 이다. 이것은 특히 남성 경영자들에게서 많이 볼 수 있는 반응이다. 갈등이나 경쟁 상황이 발생하면 누구나 생리적으로 긴장하거나 위협을 느끼게 되며, 상대에게 패배하지 않을까 하는 두려움을 경험하게 하는데, 이는 모두 많은 스트레스를 유발한다.

경쟁과 갈등 상황을 장기적으로 겪게 되면 경영자와 관리자들은 신체 생리적으로 '만성적인 투쟁 반응(chronic fight reaction)' 속에 있게 된다. 심장박동이 빨라지고 면역 체계가 약화되며 고혈압 등의 증상이 나타난다. '투쟁 반응' 으로 인한 신체 생리적 긴장감은 자동차 사고 방지 등 외부의 긴급 상황에 대처하거나 일의 성과를 높이는 데 필요한 단기적이고 순간적인 상황에서는 매우 효과적인 기능을 하게 된다. 그러나 장기간에 걸쳐 경쟁과 갈등 상황에 처하게 되면 경영자와 관리자의 '투쟁 반응' 은 심장질환, 우울증과 불안 등 건강상의 위험을 초래하게 된다. 이러한 위험은 대단히 치명적인데 미국 TI(Texas Instruments)사의 CEO였던 제리 전킨스(Jerry Junkins)

의 사례가 대표적인 예이다. 전킨스는 1996년에 구조조정을 추진하는 과정에서 지속되는 스트레스를 견디지 못하고 갑작스럽게 심장마비를 일으킨다. 이후 그는 재기불능 상태가 되고 말았다. 따라서 늘 경쟁적이며 갈등 환경 속에서 일하고 있는 경영자와 관리자들은 장기적인 스트레스로 인한 신체의 '투쟁 반응'이 계속되는 경우에 이것은 자신의 건강에 심각한 위협이 된다는 점을 인식해야 한다.

두 번째로 경쟁과 갈등이 경영자에 초래하는 영향에는 '투쟁 혹은 도피 반응'보다 눈에 잘 보이지 않지만 은근하게 점진적으로 경영자의 건강에 나쁜 영향을 미치는 것이 있다. 이것은 경영자가 높은 지위로 올라감에 따라 겪게 되는 '사회적 고립(social isolation)'과 '리더의 외로움(loneliness of command)'이다. 관리자와 경영자는 구조적으로 명령과 성과에 대한 책임을 져야 하는 위치에 있게 되는데 이것은 일선 직원들과 어느 정도의 사회적 거리를 두어야 하는 특성을 부여한다. 별도의 공간을 쓰는 등 물리적으로도 격리되어 근무하는 경영자와 관리자들은 소외감과 외로움을 경험하게 된다. 이것은 비록 급격하지는 않지만 서서히 경영자와 관리자의 건강에 나쁜 영향을 미친다. 더구나 경영자나 관리자가 직원들과 분리됨으로 해서 발생하는 커뮤니케이션의 장벽을 해소할 수 있는 기술이 없고, 적극적으로 노력도 하지 않는다면 직원들과 정서적으로 친밀하게 지내지 못하게 되며, 이로 인한 외로움은 경영자의 정신적 건강을 위협하는 중요한 요인이 된다. 직원들과의 사회적 격리는 경영자를 자살까지 몰고 가는 경우도 있는데, 1997년에 루비(Ruby)사의 CEO가 된 지 몇 개월 만에 자살을 한 존 커티스(John Curtis)의 경우가 그 예이다(3장 참조).

사람, 이익 그리고 다운사이징의 역설

인간의 미래는 조직에서의 재무적 성과나 생산성 증대뿐만 아니라 경영자와 근로자의 웰빙과 건강 등 인간 존중의 성과를 동시에 달성할 수 있는 능력에 좌우된다. 따라서 만약 어떤 기업의 정책에서 사람에 대한 배려와 이윤 추구가 상충한다면 그것은 자유기업주의의 본질에 맞지 않는다고 보아야 한다.

인간 존중과 이윤 추구의 동시 달성의 중요성을 보여 주는 사례를 생각해 보자. 경영환경이 악화되었던 1990년대에 기업들이 재무적 성과와 조직 효율성을 증대하기 위해 가장 많이 추진했던 경영전략은 인원감축이었다. 그러나 인원 감축, 예를 들어 5%의 인력감원은 재무적 성과에 기여하지 못했다. 카시오(Cascio) 등 학자들의 연구에 의하면 인력감원보다는 자산 구조조정(asset restructuring)이 재무적 성과 증진에 더 효과가 있는 것으로 밝혀졌다.

반면, 인원 감축에 의한 구조조정은 가볍고 강한 회사를 만들기보다는 가볍고 약한(lean & weak) 회사로 귀결되었다. 대표적인 사례가 유니온 카바이드사의 인도 보팔(Bhopal) 공장이다. 이 공장은 인원 감축 때문에 내부 역량이 매우 약해진 시점인 1985년에 사상 최악의 치명적 화공약품 누출 사고를 일으켰으며, 사고가 발생한 후에도 이에 신속하게 대처할 수 있는 경영진의 역량이 취약해 역사상 가장 많은 사망자를 낸 최악의 산업재해가 일어났다(5장 참조).

심화되는 경쟁상황과 고용안정성의 악화로 오늘날 경영자들의 스트레스가 증대되고 있지만 경영의 특성상 과거의 경영자들이라고 해서 편하고 스트레스가 없었던 것은 아니었다. 존 록펠러 1세도 오늘날의 사업가들이나 경영자들이 힘들어하고 있는 스트레스와 긴장 그리고 사업경영에 불가피하게 따라다니는 시련을 겪었다. 사업의 초창기에 록펠러가 경험했던 스트레스와 심리적 압박은, 앞에서 보았듯이 사업을 경영하는 모든 사람들이 경험하는 고뇌와 부침의 모습을 잘 보여 주고 있다.

록펠러는 놀라울 정도로 큰 성공을 이루었는데 이미 33세에 그는 세계 최초로 백만장자가 되었고, 43세에 당시 세계 최대의 독점 사업체인 스탠더드 오일(Standard Oil)의 주인이 되었다. 그러나 이 놀랍고도 비상한 사업의 성공이 그의 건강을 위기에 처하게 했고, 53세라는 한창 일할 나이에 그의 건강 계좌는 거의 부도에 다다랐다. 그러나 다행스럽게 그는 이때부터 획기적인 변화를 추진해 삶의 균형을 찾는 일련의 활동에 착수했다. 그 결과, 죽기 직전까지 갔던 53세에 45년의 수명을 더 연장해 98세까지 장수를 누릴 수 있었다.

스트레스는 유행병인가

록펠러의 삶을 수명이라는 면에서 평가한다면 그는 스트레스 테스트를 통과했다고 할 수 있다. 그는 생명의 위협을 받을 정도의 극심한 스트레스를 극복하고 수명을 45년이나 연장시켰기 때문이다.

미국 스트레스연구소(American Institute of Stress)는 스트레스를

일종의 유행병(epidemic)이라고 부르고 있다. 유행병이라는 것은 대부분의 사람이 보편적으로 경험하는 것을 의미한다. 이 연구소는 오늘날 스트레스가 유행병이라고 할 수 있는 근거로, 수많은 개인을 대상으로 실시한 스트레스 경험 여부에 대한 설문조사, 직장에서의 결근과 과격한 행동 등 스트레스 관련 징후의 확산 등을 들고 있다.

2001년에 말린사(Marlin Company)가 미국 스트레스연구소와 함께 실시한 조사 결과에 따르면 응답자의 35%가 자신의 일이 육체적, 정신적 건강을 해치고 있다고 했으며, 50%는 자신의 일이 1년 전에 비해 보다 힘들어졌다고 했으며, 42%는 일에서의 부담감이 인간관계에 악영향을 미치고 있다고 응답했다. 이미 오래 전인 1980년에 미국 직업안전보건국(NIOSH)에서도 직장에서의 스트레스와 정신적 불안정이 직장인의 건강을 해치는 주요 원인 중 하나라고 밝힌 바 있다. 더구나 근래에는 '경영자에 의한 학살'이라고 불리는 일시 해고와 인원 감축이 지속되고 있다. 이러한 스트레스 유발 환경의 한가운데 경영자와 관리자가 놓여 있다.

그리스어를 문자 그대로 번역하면 유행병은 '사람에게 내려지는'이라는 의미를 내포하고 있으며, 아래의 3가지 기준으로 유행병이라고 할 수 있는지 판단할 수 있다.

1. 질병에 의해 영향을 받는 사람의 비율
2. 질병의 확산율
3. 그 질병이 건강에 나쁜 영향을 미치는 정도

이러한 3가지 기준에 의하면 스트레스는 유행병에 해당하는 것이 분명하다. 고대에는 유행병이 있어도 희생자를 관찰하거나 사망자를 기록하는 것 이외에는 달리 손을 쓸 방법이 없었다. 1800년대 중반에 와서야 인간은 비로소 유행병에 대한 지식과 대처 방법을 좀 더 가지게 되었으며, 유행병에 대한 대처 방법의 초점은 질병 발생 후의 치료만으로는 거의 효과가 없고 발생 전의 예방이 중요하다는 것을 알게 되었다.

사회인구학적 자료를 근거로 말한다면 오늘날 미국을 비롯한 대부분의 문명국가들은 전통적인 유행병에 대한 전쟁에서는 승리했다고 할 수 있다. 미국인들의 평균수명이 1900년에 50세이던 것이 1980년대 중반에는 75세로 늘어났다. 1세기가 채 되지 않아서 기대수명이 50% 증가한 것은 페스트와 같은 전통적인 의미의 유행병을 극복했기 때문이다. 그러나 한때 〈비즈니스 위크〉지의 표지에 실렸던 '미국인이 실패하고 있는 테스트, 스트레스'와 같은 기사제목이 시사하는 바와 같이 새로운 유행병인 스트레스에 대한 전쟁에서는 아직 승리할 조짐이 없다. 오히려 적군인 스트레스의 힘이 점점 세지고 있는 상황이다.

사랑과 일의 균형

스트레스를 극복하기 위한 중심 개념은 균형이다. 이 균형은 건강한 삶을 유지하기 위해 필요한 다양한 면에서의 균형을 의미한다. 여기에는 일과 놀이의 균형, 노력과 비노력의 균형, 긴장과 휴식의 균형, 근육의 긴장과 이완의 균형 그리고 타인과의 상호 관계에서 주고받음의 균형 등을 포함하고 있다. 의학의 아버지로 불리는 히포크라테스는 일찍이 신체의 균형을 유지하는 것이 질병을 예방하고 건강을 증진하는 요체라고 강조했다.

프로이드도 행복과 건강한 삶의 의미에 대한 질문에 균형이라고 대답하면서 특히 '사랑과 일의 균형'을 강조했다. 이것은 다른 사람에 대한 후원과 사랑이 중요하기는 하지만 동시에 일을 통한 생산적 활동과 전문성의 증진을 위한 노력도 필요하다는 의미를 내포하고 있다. 달리 표현하면 가슴과 머리의 균형이라고도 할 수 있다. 이것은 반드시 50 대 50이라거나 60 대 40과 같은 기계적인 균형을 의미하는 것은 아니다. 사랑과 일의 균형은 성원받고 사랑받고 싶은 욕구뿐만 아니라 일을 통한 성취 욕구도 만족되어야 한다는 것을 의미한다. 블랜튼(Smiley Blanton) 박사도 그의 책 『사랑이냐 붕괴냐 Love or Perish』에서 삶의 중심 이슈인 균형에 대해 강조하고 있다. 그는 성인의 삶에서 다른 사람을 사랑하고 돌보며 자신의 시간과 에너지를 이웃과 타인을 위해 투자하는 것은 자신을 위해서도 반드시 필요한 활동이라고 했다. 그렇지 못한 경우에는 정신적 공허로 인한 조기 사망이나 심각한 건강의 위험을 초래할 수 있다고 강조했다.

경영자의 건강: 강인함 속의 편안함

인생의 말년에 접어든 사람들에게서 흔히 들을 수 있는 이야기가 있다. "내가 이렇게 오래 살 줄 알았다면 내 사신을 좀 더 잘 돌볼 것을……." 실제로 관리자와 경영자들이 평소에 자신의 건강을 잘 돌보고 위험 요인을 미리 경계한다면 이로 인한 실제적인 이익이 많이 돌아오게 된다. 비근한 예로 존 록펠러 1세도 그렇게 함으로써 그의 수명을 두 배로 늘렸으며 그 시대에는 거의 불가능한 98세의 삶을 살 수 있었다.

리더가 자신의 건강을 관리하는 데 있어서 중요한 것은 각자의 선천적인 강점을 잘 활용하는 것이다. 1980년대에 소련의 위협에 직면했을 때, 미국의 레이건 대통령과 영국의 대처 수상도 동일한 전략을 취했다. 즉, 당시에 미국과 영국의 강점인 저항력 또는 내구력을 이용해 소련의 위협을 견제하고 결국 자국의 안전을 확보할 수 있었다. 우리는 경영자의 건강에도 동일한 내용이 적용될 수 있다고 믿는다. 관리자와 경영자들도 저항력을 키움으로써 지속적으로 건강을 확보할 수 있다는 의미이다.

경영자가 어떻게 자신의 건강에 영향을 주는 요인을 잘 관리할 것인가를 설명해주는 것이 예방의학 패러다임(preventive medicine paradigm)이다(그림 1.1참조). 이 패러다임은 건강을 위협하는 요인을 감소시키거나 관리하고, 이와 동시에 저항력 증대를 추구한다. 우리는 이 두 그룹의 요인들이 경영자의 건강을 좌우하는 핵심이라고 생각한다.

이 모델은 아울러 경영자의 건강이 개인적으로나 또는 조직 차원에서 어떠한 결과를 초래하는지 보여주고 있다. 끝으로 이 모델을 추구함으로써 경영자 개인의 질병 방지나 예방의 수준을 넘어서 건강의 증진이라는 긍정적인 결과를 가져오는 데 기여하고자 한다.

경영자의 건강은 신체적, 정신적, 영적 그리고 윤리적 웰빙이라는 4가지 면을 포함한다. 이러한 4가지 모두가 경영자의 건강한 저항력과 안전 즉, 건강의 유지에 영향을 미친다. 각각의 부분이 건강할 때 경영자는 개인으로서나, 관리자로서, 동료로서나 또는 리더로서 효과적인 사람이 되는 것이다.

개인과 조직상의 결과

조직의 리더가 건강한가 아닌가의 문제는 그 개인은 물론 소속된 조직에도 중요한 영향을 미친다.

건강한 리더가 가져올 수 있는 효과를 좀 더 세분해 보면 첫째, 정신적 육체적으로 살아가는 데 중요한 개인적 활력의 효과이다. 둘째, 개인적으로 낮은 질병과 사망의 가능성이다. 셋째, 조직 차원에서 높은 성과를 달성하고 조직의 유연성과 적응성을 강화할 수 있다. 다시 말해 경영자가 건강하다는 것은 경영자 개인이 일상적으로 활기차게 업무를 수행하고 질병과 갑작스러운 사망의 위험이 줄어듦으로 인해서 조직과 거기에 소속된 직원들의 안정에도 도움을 준다는 의미이다.

여기에서 우리의 초점은 경영자의 건강을 위협하는 위험 요인을 잘 관리하고, 동시에 저항력을 강화함으로써 경영자 개인은 물론 조직의 성과 달성에 이르는 길을 체계적으로 제시하는 데 있다.

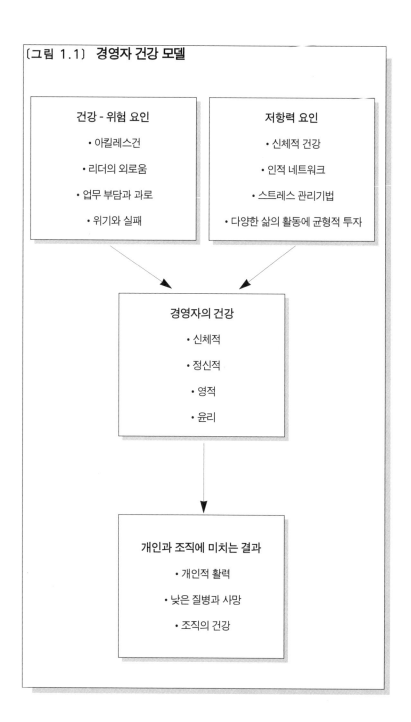

〔그림 1.1〕 **경영자 건강 모델**

건강 - 위험 요인

- 아킬레스건
- 리더의 외로움
- 업무 부담과 과로
- 위기와 실패

저항력 요인

- 신체적 건강
- 인적 네트워크
- 스트레스 관리기법
- 다양한 삶의 활동에 균형적 투자

경영자의 건강

- 신체적
- 정신적
- 영적
- 윤리

개인과 조직에 미치는 결과

- 개인적 활력
- 낮은 질병과 사망
- 조직의 건강

경영자의 4가지 건강요건

경영자 건강의 첫째 요건은 *신체적 웰빙(physical well-being)*이다. 이것은 유전적 요인과 육체적 건강에 의해 좌우된다. 자신의 유전적 요인에 대해서는 어쩔 도리가 없겠지만, 선천적 요인 속에도 각자 강점과 취약점이 있으므로 이를 잘 파악하고 관리하면 신체적 웰빙을 달성할 수 있다. 신체적 건강을 유지하기 위해서는 심장혈관계의 건강, 뼈와 근육의 강건, 몸의 유연성 등 3가지 요소가 관리되어야 한다. 신체적 건강에 필요한 3가지 분야의 상호 보완적인 면들은 또한 정신적, 영적, 윤리적 건강을 확립하는 기반이 된다.

경영자의 신체적 건강을 위협하는 요인 중에 가장 치명적인 것이 심장혈관계 질환이다. 오늘날 심장질환은 선진국 경영자들의 대표적인 사망 원인이다. 심장질환을 일으키는 원인으로는 고혈압, 흡연, 비만, 당뇨, 운동 부족 그리고 유전적 요인들을 들 수 있다. 이러한 심장질환은 경영자가 꾸준히 신체적 웰빙을 위한 노력을 기울이면 그 위험성을 크게 줄일 수 있으며, 이외에도 경영자의 건강을 위협하는 다른 많은 위험들을 예방할 수 있다.

둘째, 리더의 전체적 건강을 좌우하는 *정신적 웰빙(psychological well-being)*이 있다. 정신적 웰빙은 현실의 스트레스나 도전에 건설적으로 대응하는 능력이며, 변화에 적응하고, 주어진 환경을 사랑할 수 있는 능력이며, 또한 자신의 감정적 에너지를 보다 생산적인 방법으로 분출할 수 있는 능력에 의해 좌우된다.

경영자가 정신적으로 건강해야 한다는 것은 조직에도 중요한 이슈이다. 왜냐하면 리더의 정신적 건강은 수많은 의사결정 상황에서

합리적 판단을 내릴 수 있는 밑거름이 되기 때문이다. 탁월한 의사결정을 하려면 경영자는 상황에 대한 냉정한 평가를 하고, 분명한 비전 속에서 관계자들의 인간적 욕구와 이해관계를 파악하고 때로는 결단력 있는 행동을 해야만 한다. 또한 관련 정보를 정확하게 분석하고 해석하는 능력은 훌륭한 의사결정을 위해 필수적이다. 따라서 경영자가 정신적으로 건강하다는 것은 훌륭한 의사결정을 할 수 있다는 것을 말하며, 이것은 다시 전체 조직의 경쟁력과 구성원의 정신적 건강에 도움을 준다. 반대로 취약한 경영자의 심리적 웰빙은 조직을 허약하게 만들고 쇠퇴의 길로 가게 만든다.

경영자가 정신적인 웰빙을 이루기 위해서는 앞에서 말한 바와 같이 신체적인 건강 등 여러 방면의 균형을 이루는 것이 필요하다. 그러나 경영자의 정신적 웰빙에 많은 영향을 미치는 '인간관계적 후원(interpersonal support)' 또는 '사회적 후원(social support)' 과 같은 요소들이 종종 경시되고 있다. 조직에서 상위직으로 올라갈수록 직원들과 장소적으로나 정서적으로 점차 격리되는 동시에 업무적 부담감은 늘어나고 노후에 대한 염려 등의 스트레스는 증대한다. 경영자도 사적으로는 외로운 개인이므로 '리더의 외로움' 과 가중되는 스트레스를 해소할 수 있는 효과적인 자원이 바로 '사회적 후원' 이다. 조직 내에서 믿을 수 있는 동료 등 사회적 후원 네트워크가 있다면 이는 경영자의 정신적 건강을 증진하는 데 도움이 된다. 최적의 정신적 건강을 유지하기 위해서 경영자는 조직 내에서 편안한 가운데 가슴속의 스트레스나 고민을 솔직하게 털어놓을 수 있는 사람(confidant)을 가질 필요가 있다. 자신의 불안감이나 생각, 염려 등을 다른 사람과 나눌 수 있다는 것은 어려운 시기에 정신적 건강을 유지하는 데 많은 도움이 된다.

영적인 활력(*spiritual vitality*)은 신체적 건강, 정신적 건강 등에 비해 그 개념의 구체성이 다소 떨어진다. 또한 종교적인 것으로 간주되어 특정한 종교를 가지고 있지 않은 사람은 이를 무시하는 등 그것의 중요성이 간과되고 있다. 그러나 영적인 요소는 실로 경영자가 전인적 건강을 이루는 데 필수적인 요소이다. 세계보건기구(WHO)는 인간의 건강을 좌우하는 데에는 신체적 건강, 정신적 건강, 영적 건강, 인간관계적 건강 등 4가지 면이 충족되어야 한다고 한다. 인간은 누구나 어려움에 봉착하거나 또는 어려움이 없는 기간에도 현재의 삶 이상의 그 무엇이 있음을 생각하게 된다. 삶에는 어떤 의미나 보다 큰 목적이 있어야 함을 느끼게 된다.

영적으로 건강한 경영자는 삶의 의미를 사업을 해 돈을 더 버는 일에 한정하지 않고, 이를 확장시켜 타인의 어려움과 필요를 도와주는 데까지 부여한다. 예를 들어 그들은 자신이 속한 조직의 기본적 역할 달성뿐만 아니라 조직 구성원들과 조직 외부의 지역 사회에까지 삶의 복지를 증진시키고자 자신의 영향력을 행사하려 한다. 영적으로 건강한 경영자는 영적인 에너지를 쏟아부어 자신과 자신이 속한 조직은 물론 조직 밖의 수많은 사람에게 기여한다.

앤드류 카네기는 영적으로 건강한 경영자의 좋은 본보기이다. 1889년 〈노스 아메리칸 리뷰〉지 6월호는 '부(Wealth)'라는 카네기의 글을 싣고 있다. 그는 자신이 거대한 재산을 축적할 수 있었던 것은 자본주의 시스템의 필연적인 결과라는 생각을 가졌다. 따라서 그는 자신의 부를 자신의 것으로 생각하지 않고, 부의 축적을 발생시킨 사회의 것이며, 자신은 단지 그 재산을 사회의 복지를 위해 되돌려 줄 때까지의 관리자로 생각했다. 카네기는 기업가가 축적한 재산을 자신의 것으로 생각하지 않을 때에만 부의 축적은 이로운 것이라고 주장했다. 그는 이 정신을 실천해 일생 동안 3억 5천만 달러를 사회사업에 투입해 사회에 환원했다. 카네기에 버금가는 수준으로 자신의 재산을 사회에 환원하는 기업가로는 오늘날 빌 게이츠(Bill Gates)나 테드 터너(Ted Turner)를 생각할 수 있다.

윤리적 성품(Ethical Character) 또는 윤리적 건강은 경영자의 건강을 확보하는 데 필요한 네 번째의 기반이다. 머레이(Murray) 교수는 "성품이란 아무도 보지 않는 시간에 나타나는 당신의 모습이다"라고 말했다. 성품은 윤리적으로 건전한 의사결정을 할 수 있는 개인적 자질이며, 이것은 특히 이러지도 저러지도 못하는 어려운 상황에 봉착했을 때 분명하게 드러난다.

정신적 건강과 마찬가지로 경영자의 성품은 원칙 중심의 의사결정을 할 때 매우 중요하다. 조직이 어려움에 처했을 때 경영자가 윤리적인 의사결정을 고수하겠다는 열의와 실천이 있으면 이는 결국 주주와 조직의 장기적인 발전에 도움이 되기 때문이다. 경영자가 의사결정 과정에서 윤리적 성품을 고수하는 경우, 단기적으로는 조직에 손해가 되거나 어려움을 감수하게 될 수도 있으나 장기적으로는 최선의 결과를 가져오게 된다. 결국 경영자가 윤리적 성품을 지닌 사람이라면 일상적인 의사결정의 결과가 단기적으로는 조직에 부정적인 영향을 미치는 상황에서도 원칙을 지키며 올바른 의사결정을 할 수 있는 버팀목이 된다.

앤드류 카네기와 비슷하게 윤리적 성품을 실천한 경영자로 밀톤 허시(Milton Hershey, 초콜릿 전문회사 허시의 설립자)가 있다. 그는 기업경영에도 성공했을 뿐만 아니라 꿈과 성공을 공유하는 커뮤니티를 세웠다. 그가 추진한 이상적 커뮤니티는 성공적인 기업도시의 모범이 되었고 대도시에나 있을 법한 모든 필요 시설들을 건설했다. 펜실베이니아에 건설된 허시 커뮤니티는 병원, 극장, 공원, 대학 그리고 고아원도 완비했다. 그러나 밀톤 허시의 사례가 역사적 본보기가 되는 이유는 대공황이라는 어려운 시기에 그가 보여 준 성품 때문이다. 1933년, 회사의 수익이 1929년의 절반 정도로 급감했을 때에도 허시는 커뮤니티에 살고 있는 모든 사람에게 고통을 주지 않기 위해 생산 스케줄을 그대로 유지하고 임금을 삭감하지도 않았으며 인원을 감축하지도 않았다. 오히려 그는 불황을 극복하기 위한 아이디어로 도시에 관광객을 유치한다는 목표를 세웠고 이를 위해 1천만 달러 이상을 투자했으며, 고용을 늘리기 위해 공장을 확장했다. 밀톤 허시에게는 자신의 재무적 안전보다 주민과 커뮤니티의 미래가 더욱 중요했던 것이다.

저항력 증진과 위험 관리

경영자의 건강을 유지하기 위한 방안의 핵심적 논리는, 건강에 영향을 미치는 요인과 환경은 매우 역동적으로 변하며 건강이라는 목표를 이루기 위해서는 일회성의 활동이 아니라 이를 향한 지속적 노력이 필요하다는 점이다. 다시 말하면 건강한 경영자는 자신의 건강과 웰빙 증진을 위해 항상 노력하고 있는 진행형이라는 것이다. 앞에서 소개한 〈그림 1.1〉 경영자의 건강 모델에서 볼 수 있는 바와 같이 건강에 필요한 4가지 즉, 신체적, 정신적, 영적, 윤리적 건강을 확보하고 유지하기 위해서는 이를 위협하는 위험 요인의 관리와 저항력의 증진을 위한 진행형의 노력이 필요하다.

건강한 삶을 위한 저항을 강화시키기 위해서는 경영자가 먼저 자신의 건강에 대한 유전적인 위험 요인을 인식하고 이에 대한 적절한 조치와 노력을 해야 한다. 한 조사에 의하면 경영자의 건강에 부정적인 영향을 미치는 가장 큰 원인은 음주와 과도한 출장으로 나타났다. 이것을 경영자의 건강 모델에 적용해 볼 때, 경영자가 실천해야 할 첫 번째 사항은 생리적, 유전적, 습관적, 또는 환경적 요인들에 의해서 비롯되는 건강 위협 요인들을 일찍이 파악하는 일이다.

경영자의 건강을 위협하는 요인들이 체질적이고 유전에 의한 경우일 수도 있지만, 환경적 요인에 의한 것도 많다. 어떤 조직이나 근무환경은 개인이나 그룹 혹은 전체 조직에 부정적인 결과를 초래하는 직원들의 행동을 그냥 눈감아 주거나 오히려 부추긴다. 또 어떤 조직은 직원들을 감정적인 고통 속에 내몰기도 한다. 조직 내 구성원들 사이에 감정적 갈등이 산재해 있고, 자신의 건강과 행복을 담보로 정신적으로 분노와 고통을 느끼고 있는 환경에서 경영자와 관리자가 조직의 활기를 회복하고 구성원들의 정신적 건강을 증진시키기 위해 노력하는 경우, 경영학자 피터 프로스트(Peter Frost)는 이들 리더들을 '조직의 영웅(organizational heroes)' 이라고 불렀다.

이 책의 주요 내용

이 책은 경영자와 관리자들이 건강을 유지하고 강화하는 데 필요한 자신의 강점과 취약점을 이해하고 이를 잘 관리할 수 있는 방안에 대해 설명하고 있다. 파트 Ⅰ에서는 경영자와 관리자의 건강을 이해하는 기본틀을 제시하고 있는데, 왜 오늘날 경영자들의 건강관리가 더욱 중요해지는지 그 이유를 설명하고 있다. 경영자의 건강은 자신뿐 아니라 소속된 조직에도 매우 중요한 자산이다. 왜냐하면 그것이 없으면 나머지 모든 것을 잃게 되기 때문이다.

파트 Ⅱ에서는 오늘날 경영자와 관리자가 직면하고 있는 건강상의 위협 요인에 대해 깊이 있게 논의했다. 건강한 삶을 위한 열쇠는 각자가 가지고 있는 위험 요인의 관리이다. 조직의 경영이나 직장생활을 하다 보면 불가피하게 건강을 위협하는 많은 활동과 환경에 노출되게 된다. 가장 기본적인 건강관리 예방의 원리는 환경적으로나 유전적으로 가지고 있는 위험 요인을 찾아내는 것이다. 파트 Ⅱ는 4개의 장으로 구성되어 있는데 2장에서는 경영자가 유전적으로나 또는 은연중에 갖게 된 건강상의 취약 요인 즉, 아킬레스건(Achilles' heel)에 대해 다루고 있으며, 아울러 오늘날 경영자들이 겪고 있는 5가지의 주요 위험 요인들을 논의하고 있다. 3장에서는 조직의 상위 관리층이나 최고 전문가가 봉착하게 되는 지휘상의 외로움을 검토하고 있다. 4장에서는 경영자들이 경험하는 업무 부담과 출장 스트레스에 대한 대책을 논의하고 있으며, 5장에서는 위기와 실패를 만났을 때, 이의 극복 대책들을 제시했다. 경영자와 관리자가 건강을 강화하고 유지하는 최선의 방법은 건강을 위협하는 조기 경고신호를 잘 감지하고 찾아내는 것이며, 나아가 건강상의 문제나 장애가 발생하지 않도록 예방조치를 취하는 것이다.

파트 III은 본서에서 두 번째로 중요한 부분으로서 건강상의 4가지 면에 대해, 전체의 균형을 유지하고 이를 강화하는 데 필요한 방법들을 강조하고 있다. 6장은 경영자의 신체적 건강이 경영자 자신의 강점 지속과 성과 달성에 주춧돌이 되는 점을 논의하고 있으며, 7장에서는 인지적인 생각과 감정적인 느낌 면에서 어떻게 경영자가 정신적 웰빙을 이룰 것인가를 다루고 있다. 8장은 종교적이거나 종파적인 차원을 넘어선 보다 포괄적 차원에서 영적 건강과 그 중요성을 설명하고 있다. 9장에서는 직장에서의 윤리를 논의하면서 좋은 성품이 건강한 삶에 미치는 중요성을 논의하고 있다.

파트 IV는 인간관계나 직업적인 성공을 위해서 자기 의존적 경향이 강한 경영자에 초점을 맞추고 있다. 자기 의존적 또는 자립적 경영자는 성취하고 성공하려는 욕구를 추구하는 것과 동시에 자신의 건강과 웰빙에 대한 욕구를 소홀히 하지 않아야 한다.

1장 정리

1. 경영자와 관리자는 오늘날 국제화라는 급격한 환경변화의 한
   복판에 놓여 있는데, 이것은 경쟁의 증대와 고용 불안의 심화
   라는 2중의 압박 속에 있음을 말한다.
2. 이 시대에 조직을 관리하고 경영한다는 것은 끊임없는 변화와
   갈등 속에 살아가야 한다는 것을 말한다.
3. 2중의 압박과 끊임없는 변화는 관리자와 경영자를 건강상의
   위험에 노출시키고 있으며, 자칫하면 일종의 유행병인 스트레
   스 속에 파묻힐 수밖에 없는 상황으로 내몬다.
4. 관리자와 경영자는 경제 활동과 부의 창출 그리고 수많은 사
   람에게 경제적 이익을 주는 중추적 역할을 수행한다.
5. 경영자와 관리자는 건강을 위한 신체적, 정신적, 영적 그리고
   윤리적 강점 4가지를 개발함으로써 안정적인 건강을 확보할
   수 있다.

Executive
Health

Part II

경영상의 어려움: 경영자의 건강을 위협하는 요인들

Risky Business: threats to executive health

2장

아킬레스건: 위험과 취약점

내 인생의 유일한 목표는 건강하게 사는 것이다.

— 잭 웰치

국제화의 진행과 경쟁의 심화는 경영자, 관리자 및 근로자 모두에게 스트레스를 증대시키고 있다. 그러나 스트레스는 그 자체가 반드시 좋다거나 나쁜 것이라고 말할 수 없다. 스트레스는 인생의 양념이 될 수도 있으며 저승사자의 키스가 될 수도 있다. 1980년대 할리 데이비슨(Harley Davidson, 미국의 오토바이 제조업체)이 기업 회생을 위해 심혈을 기울였던 사례처럼 스트레스는 개인이나 조직이 높은 성장이나 최고의 성과를 달성하는 촉진제가 되기도 한다. 따라서 스트레스는 적당량만을 섭취한다면 건강에 좋은 약이라고 할 수 있다.

아울러 스트레스의 부정적인 면으로는 건강을 위협하고 각자가 가지고 있는 취약점을 악화시키며, 각종 의학적이거나 행동적인 또는 정신적인 문제를 초래한다는 것이다. 잭 웰치는 2001년 GE의 CEO로서 은퇴할 때 매우 건강한 상태였지만, 그도 한때는 스트레스성 심장질환 때문에 수술을 받은 경험이 있다. TI의 CEO였던 제리 전킨스는 잭 웰치보다 더 운이 없었다. 1990년대 초에 TI는 5년 동안 주가가 500%나 올랐는데 1990년에 주당 2달러였던 주가를 1995년에 10달러까지 급상승시킨 장본인이 바로 제리 전킨스였다. 그러나 얼마 후 경영환경이 급격히 변해 TI는 심각한 어려움에 빠져들었고, 전킨스는 견디기 어렵고 힘든 구조조정을 해야만 했다. 체질적으로 건강하고, 사람을 좋아하는 성품의 전킨스였지만 주가가 6개월 만에 40%나 떨어지자 인원감축을 피할 수 없었다. 전킨스는 구조조정 작업이 거의 마무리되어 갈 시점인 1996년 5월 29일, 독일의 슈투트 가르트에서 운전중에 심장마비로 사망했다. 가까운 가족 누구도 심장질환을 앓은 사람이 없었고, 그 자신도 매우 건강했던 사람이 58세라는 한창 활동할 나이에 사망한 것이다. 전킨스의 죽음은 감당하기 어려운 스트레스 때문이라고 추정이 된다.

혹자는 전킨스의 죽음이 헛되지 않았다고 말함으로써 그를 사랑했던 가족과 동료들을 위로하고자 할지도 모른다. 그가 사망할 당시 바닥을 쳤던 TI의 주가는 그 후 4년 동안 상승세를 타면서 주당 6달러였던 것이 8배나 뛰어 48달러에 이를 정도로 회사는 화려하게 부활하였던 것이다. 그러나 이를 위해 전킨스가 사망할 필요까지는 없었음을 상기하자. 이 장의 포커스는 경영자가 간과하기 쉬운 건강상의 위험이나 취약점 즉, 각자가 가지고 있는 아킬레스건에 대한 이해를 높이는 것이다. 스트레스가 경영자의 건강에 미치는 영향은 반드시 심각한 경우가 아닐지라도, 전킨스의 경우처럼, 잘 다스리지 못하면 경영자의 건강에 치명적인 타격을 주는 아킬레스건이 된다.

스트레스, 성과 그리고 성취

많은 사람들 특히 경영자들은 스트레스를 나쁜 것으로만 인식하고, 긍정적인 환경변화에서도 '도전' 등의 반갑지 않은 용어를 사용하는 경향이 있다. 스트레스의 개념을 확립하는 데 기여한 사람은 의사였던 한스 셀레(Hans Selye) 박사이다. 그는 스트레스에는 긍정적 개념의 스트레스 즉, 생산적이고 건강에 도움되는 스트레스가 있으며, 이것을 '유스트레스(eustress)'라고 개념화했다. 이에 비해 흔히 말하는 나쁜 의미의 스트레스는 '디스트레스(distress)'이다.

스트레스 정도와 업무수행과의 관계는 1908년 이래로 이론화되었는데, 여크(Robert Yerkes)와 도슨(James Dodson)은 〈그림 2.1〉에서 보는 바와 같이 적정 수준의 스트레스 단계까지는 스트레스가 올라갈수록 건강과 업무수행 능력이 높아진다는 것을 이론화했다.

그림에서 볼 수 있는 바와 같이 스트레스가 적정 수준에 이르기 전까지는 스트레스가 증가할수록 업무성과가 올라가며, 적정 수준을 넘어서면 스트레스가 증대할수록 성과가 감소한다. 물론 성과를 최대로 낼 수 있는 적정 수준의 스트레스는 개인적 요인이나 또는 업무의 종류 등에 따라 달라진다. 개인적 요인에는 스트레스에 대한 민감도, 피로도, 심리적·정신적 기술 그리고 신체적 능력 등이 있

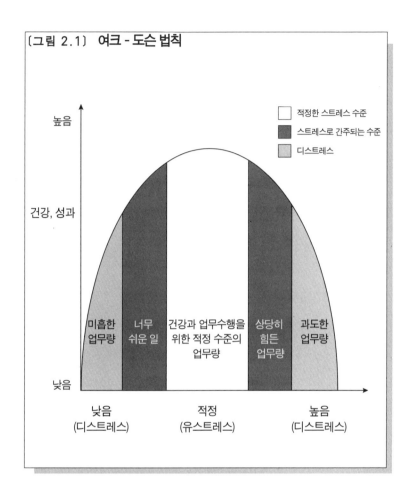

〔그림 2.1〕 여크 - 도슨 법칙

높음

건강, 성과

낮음

적정한 스트레스 수준
스트레스로 간주되는 수준
디스트레스

미흡한
업무량

너무
쉬운 일

건강과 업무수행을
위한 적정 수준의
업무량

상당히
힘든
업무량

과도한
업무량

낮음
(디스트레스)

적정
(유스트레스)

높음
(디스트레스)

다. 스트레스에 영향을 주는 업무의 특성은 일의 복잡성, 난이도, 지속 기간, 집중도 등이다. 업무에 대한 생소함의 정도 또한 개인별 여크-도슨 곡선에 영향을 미친다. 복잡한 업무의 경우에는 과도한 스트레스가 업무수행에 차질을 빚게 할 수도 있지만 너무 낮은 스트레스나 너무 가라앉은 심리상태도 업무수행을 어렵게 한다.

경영자의 건강과 정신적 웰빙을 추구하는 데 있어서 중요한 관건은 어떻게 스트레스가 너무 높지도 낮지도 않은 적정 수준을 찾아내고, 이를 유지하는가이다. 아이러니하게도 경영자가 건강을 유지하고 정신적인 웰빙을 달성하기 위해서는 높은 수준의 성취와 성과 달성이 필요하다. 이것이 듀크 경영자 프로그램(Duke Executive Health Program)에서와 같이 다수의 기업들이 추구하는 경영자 건강 프로그램의 목적이다. 듀크 경영자 프로그램의 특성은 먼저 경영자의 직장생활과 개인생활에서 개인별 스타일을 측정한 후 각자의 취약점과 위험 요인에 따라서 적절한 스트레스 대처 방법을 훈련시켜 주는 것이다.

건강상의 위험과 취약점

미국인의 문화적 편견 중에는 '존 웨인 신화(John Wayne myth)'라는 것이 있다. 이 편견은 깊이 들여다보면 틀렸을 뿐만 아니라 명영화배우였던 존 웨인 자신에게도 부정적인 영향을 미치고 있다. 존 웨인 신화는 '남자는 강해야 하고, 남에게 의존하지 않아야 하며, 허약하지 않고 사내다워야 한다'고 말한다. 이 편견 때문에 모든 남자는 물론 심지어 일부 여자들까지도 존 웨인과 같은 강한 모습 - 혹은 강하게 보이는 모습 - 을 추구하는 문화가 형성되었다. 이 '존 웨인 신화'가 바람직하지 않다고 말할 수 있는 이유는 이로 인해 은연중에 사람들 사이에 인간적 친밀감보다는 개인적 거리가 만들어졌기 때문이다. 뿐만 아니라 자신의 취약점이나 허점을 보완할 기회를 갖지 못하고, 자신의 부족한 점을 부정하게 되는 결과를 가져왔다.

존 웨인 신화는 존 웨인의 영화를 제대로 이해하는 데도 별로 도움이 되지 않는다. 존 웨인의 영화를 자세히 살펴보면 존 웨인이 악당들과 싸움을 벌일 때면 언제나 주변에는 정의를 위해 한 목숨 바치겠다는 '일당' 들이 함께 있었다. 이들은 정의의 사나이들답게 어려움이 닥쳤을 때 서로 힘을 합해 극복하고 서로를 도와준다. 즉, 영화 속에서도 서로 도와야 악당을 물리칠 수 있음을 보여 주고 있는 것이다. 이 영화 주인공들의 행동특성은 기업 경영에서도 그대로 적용될 수 있다.

1980년대 초기, 자동차 회사인 크라이슬러가 경영 위기에 처했을 때 포드 자동차의 전직 경영자인 리 아이아코카(Lee Iacocca)를 영입했다. 포드에서 아이아코카는 외로운 보안관(존 웨인도 영화에서 한번도 하지 않은 역할)처럼 일하지 않았다. 그랬다면 그것은 무모하고 위험한 방식이었을 것이다. 크라이슬러의 구원자로 자리를 옮긴 아이아코카는 존 웨인 영화의 실제 장면처럼 회사를 구출하기 위해 먼저 자기를 도와줄 '일당' 을 구성한다. 그는 믿을 수 있는 전문가들을 포드 자동차에서 직접 골라 데리고 온다. 나중에 그는 "크라이슬러 구출작전을 지휘한 장군이었다"라고 자신의 역할을 묘사했다. 결국 그는 크라이슬러를 위기에서 구하는 데 성공했고, 은행 대출을 보증했던 미국 정부에도 엄청난 재정적 이익을 가져다주었다.

경영자와 관리자는 자신의 위험 요인과 취약 요인을 발견하기 위해 어느 곳을 먼저 살펴보아야 할까? 가장 먼저 살펴보아야 할 곳이 가족의 역사이다. 부모, 형제자매는 물론 몇 세대 이전까지 가족의 역사를 거슬러 올라가 그들의 사망 원인이 무엇이었는지, 건강상의 특이한 문제점은 없었는지, 있었다면 어떤 것인지 등에 대한 탐색이 필요하다. 우리가 알고 있는 경영자와 관리자 중에는 어린 시절에 입양되어 자신의 유전적 조상을 알 수 없는 사람들도 있다. 이런 경우에는 조상들의 유전적 특성이나 건강상의 취약점 등을 알 수 있는 방법이 없어 안타까운 상황이라고 할 수 있다. 왜냐하면 가족력을 통한 건강 특성의 조사는 경영자와 관리자가 자신의 건강상의 아킬레스건을 찾아내는 데 매우 도움이 되기 때문이다.

아킬레스건

아킬레스건은 한 개인이 유전적으로 또는 후천적으로 얻게 된 건강상의 취약점을 말한다. 이 아킬레스건 개념은 그리스 신화에서 비롯되었지만 오늘날은 의학 분야에서 취약한 신체 부위 또는 열등 장기를 의미하는 의미한다. 이 주장에 따르면 사람의 건강은 신체의 가장 취약한 부분을 통해 위협받는다. 정신 의학의 선구자인 해롤드 울프(Harold Wolff)는 아킬레스건 개념의 이해에 기초를 제공했다. 이후에 의학적이고 심리학적 연구들이 계속 이어져 울프의 연구틀을 발전시켰다. 경영자의 건강상의 취약점 즉, 생리적이고 유전적인 아킬레스건을 발견해 내는 데는 가족의 건강 내력을 살펴보는 것이 많은 정보를 제공해 준다. 예를 들어 혈압은 가족의 유전적 요인과 밀접하게 관련되어 있다.

그러나 유의해야 할 사항은 비록 아킬레스건 개념이 경영자 개인의 건강상의 위험과 취약점을 찾아내는 데 도움이 된다고 해도 이것은 단지 건강이 위협받을 수도 있다는 가능성을 보여 주는 것이지 건강이 위험에 처해 있음을 단정짓는 것은 아니라는 점이다. 따라서 만약 당신의 아버지나 할아버지가 70세 이전에 사망했다고 해서 당신도 그럴 것이라고 지레 겁을 먹을 필요는 없다. 이러한 차이점의 이해는 예방의학 관점에서 건강 위험도를 측정하는 모든 사람에게 실제적이고 매우 중요한 시사점을 준다. '확정'이라고 하면 건강상의 문제가 반드시 발생한다는 것을 의미하지만 발생의 '경향성'은 그 취약점이나 위험성에 대해 적절한 주의를 기울이면 문제를 사전에 예방함으로써 때 이른 사망을 방지할 수 있다는 의미이다.

가족력

가족력을 해석함에 있어서 확정적 추정을 하는 것은 많은 주의를 요한다. 예를 들어 제임스 퀵은 철강업을 경영하던 아버지가 54세에 사망하고, 운수 사업을 한 할아버지가 48세에 사망한 것으로 보아 그의 수명이 60세가 넘지 않으리라는 예상을 할 수 있다. 그러나 이 책을 쓴 나의 아버지인 제임스 퀵은 자식들의 교육을 마치고 아내의 노후에 대한 경제적 안정 대책을 완성하기 위해 젊어서부터 자신의 인생 계획을 수립했다. 이 계획은 자신이 60세에 사망할 것이라는 예상을 바탕으로 수립하지 않고, 1930년대와 40년대 당시에 활용 가능한 정보를 바탕으로 여러 가지 만약의 상황을 고려해 각 상황에서 어떻게 할 것인가를 수립한 대응 계획이었다. 비록 그의 부모 세대가 60세 이전에 사망했기 때문에 그도 60세를 넘기기가 어려울 것이라고 예상할 수 있었지만 그는 자신의 건강과 웰빙 증진을 위해 전략을 세우고 이를 꾸준히 실천했다. 이러한 라이프스타일 관리 노력과 예방적 건강관리 덕분에 결국 그는 예상보다 25세나 더 오래 살았다. 은퇴 이후 그는 85세까지 매우 생산적인 삶을 살았을 뿐만 아니라 아내에게는 풍족한 재정적 안정을 확보해 주었고 아들들은 보람 있는 경력을 추구할 수 있도록 교육을 마쳐 주었다.

때때로 가족력에 대한 정보를 확보하기가 쉽지 않을 수도 있으나, 대부분의 경우에는 건강 위험 요인을 찾아내기 위한 정도의 가족력을 살펴보는 것은 그리 어렵지 않다. 따라서 우리는 경영자와 관리자들이 자신의 장기적인 건강을 위해 가족력을 통한 정보 탐색 작업을 해 보기를 강력히 권고한다. 우리가 자문을 해 주고 있는 경영자와 관리자들 중에도 많은 사람이 몇 세대 이전까지의 가족력을 간단한 나무 구조(tree structure)로 탐색해 보았다. 나무에 뻗어 있는 각 가지에는 각 조상의 이름, 사망연령, 사망원인 그리고 각 사람에 대한 건강상의 특이점을 기록해 둔다. 이 가족력 나무 구조에는 일부 조상의 이름이나 정보가 생략되어 있는 경우도 있으나 그것은 큰 문제가 되지 않는다. 이 가족력 나무 구조에서 알고자 하는 핵심은 큰 그림에 대한 이해로 충분하기 때문이다. 만약 이전 세대의 가족 중에서 20~30명의 정보를 나타낼 수 있다면 이 도표는 가족의 대부분이 특정한 질병 없이 건강하게 살았다거나 또는 비교적 젊은 나이에 심장질환이나 암 등의 질환으로 여러 명이 사망했다는 등의 경향을 알아보는 데 충분할 것이다.

경영자의 건강상 위험

조직의 각급 리더들의 건강을 위협하는 주요한 문제들에는 어떤 것이 있을까? 우리는 경영자, 관리자 및 그들이 속한 조직이 심각하게 고려해야 할 건강상의 위험 요인을 5가지로 구분했다. 여기에는 정신적이거나 의학적인 문제들도 있으며, 아울러 겉으로는 잘 알려지지 않고 경영자 개인이 건강 위험도를 측정해야 비로소 알 수 있는 특별한 취약점도 포함되어 있다.

먼저 전염학이나 의학, 또는 심리학적인 연구들에 의해 일반적으로 많이 알려진 건강 위험 요인들을 살펴보고자 한다. 경영자와 관리자들은 이러한 일반적 건강위험 요인과 아울러 각자 자신에게 특별한 유전적 요인, 가족사에 의한 건강취약 요인 또는 특정한 환경적 요인에 의한 건강 위험 정보를 함께 고려해야 한다.

건강위험 요인으로 대표적인 5가지를 나열하면 다음과 같다.

- 일중독증과 심신의 탈진
- 우울증과 불안
- 신체적 활동 부족
- 나쁜 식습관
- 과도한 흡연, 음주 및 약물 복용

이러한 건강위험 요인이 발생하게 되면 경영자와 관리자 개인은 물론 가족과 그들이 속한 조직에까지 부정적인 영향을 미치게 된다.

경영자가 좋은 건강 상태를 유지하고 건강상의 어려움을 극복하는 데 있어서 가장 중요한 열쇠는 사전 진단과 조기 대책의 수립이다. 흔히 경영자와 관리자들의 건강이 나빠지는 이유는 초기 단계의 증상이나 신체 정신상의 경고를 무시하는 데서 비롯된다. 그들은 자칫 자신들이 평소 특별한 이상 없이 건강하다고 생각하거나 또는 조직 내에서 행사할 수 있는 영향력이 곧 자신의 파워라고 무의식적으로 생각함으로써, 건강상의 잠재적 문제를 찾아내는 데 필수적인 자신의 내면을 돌아보거나 자가 진단을 소홀히 하기가 쉽다.

자가 진단은 의료기구에 의한 진단뿐만 아니라 주변 사람들의 반응에 의해서도 가능하다. 즉, 다른 사람의 피드백에서 어떤 힌트를 얻을 수 있다는 것이다. 예를 들어 대기업의 CEO에게는 그의 아내가 남편이 자주 짜증내는 것을 보고 스트레스가 과도하다는 것을 조언해 줄 수 있다. 특히 아내는 매우 중요한 조언자가 될 수 있는데, 이는 조직의 계층구조 특성상 부하는 상사에게 솔직한 피드백을 해주기가 쉽지 않지만 아내는 편안한 마음으로 남편이 건강을 유지하는 데 도움이 되는 조기경보 신호를 제공해 줄 수 있기 때문이다.

일중독증과 심신의 탈진

일중독증(Workaholism)

일중독증의 사회문화적 뿌리는 어디에서 찾을 수 있는가? 산업사회에서 열심히 일하는 것은 미덕이다. 유럽에서는 프랑스의 종교 개혁가 존 칼뱅(John Calvin)의 영향으로 근검절약과 열심히 일하는 것에 큰 가치가 부여되었는데, 미국에서도 이 정신이 청교도 윤리에 뚜렷이 뿌리내려 있다. 자기 헌신과 장시간에 걸친 노동으로 높은 성과를 달성하고 일에 대한 몰입과 실수 없이 일하는 모습은 오늘날의 경쟁적 세계에서는 매우 가치 있는 것으로 간주된다. 삶의 다른 활동들과 균형을 잃지 않고 적절하게 행사된다면 이러한 정신과 자세들은 오늘날에도 성공을 바라는 모든 사람들의 필수적인 덕목이 될 것이다. 그러나 일에 대한 몰입과 노동이 과도해지면서, 삶의 다른 활동과 균형을 잃게 되면, 이것은 경영자의 삶을 뒤덮어 버리고 파괴적이 될 수 있다.

오늘날 '일중독증(Workaholism)'이라는 용어는 장시간 일하는 사람이나 매우 강도 높게 일하는 사람을 일컫는 의미로 두루 사용되고 있다. 그러나 1960년대에 오츠(W.E. Oates)가 이 말을 처음으로 사용할 때에는 알콜중독자(Alcoholic)의 행동에 비유해 쓰였다. '일중독증'은 단순히 열심히 일하거나 장시간 일하는 사람을 지칭하는 것이 아니다. 시간상 과도하게 일에만 매달리는 것에 그치지 않고, 알콜중독자와 같이 가족이나 개인적 인간관계 그리고 다른 사회적 책임을 다하지 못하는 불균형적인 행동을 포함하는 개념이다.

일중독자는 일을 하지 않거나 일터와 떨어져 있으면 불안을 느낀다. 그들은 평소에 자신이 무엇인가 부족하다고 느끼며, 따라서 자기 존재감을 회복하려고 더욱 열심히 일한다. 알콜중독자와 마찬가지로 일중독자는 평소에 무언가 결핍된 마음으로 지내며, 이러한 자신의 행동이 가족이나 동료들에 미칠 부정적인 영향을 인식하지도 못한다. 그리고 자신의 일중독적 행동을 숨기려는 모습을 보이는데,

예를 들어 휴가 기간 중에 살며시 빠져나가 전화를 하거나 우편물을 챙기는 등의 행동이 그것이다.

알콜중독자는 모든 것이 나쁘기만 하지만 일중독은 생산적인 목적을 일부 가지고 있다는 점에서 일중독에 걸린 사람을 '존경스러운 중독자'라고 부르는 사람도 있다. 〈표 2.1〉의 일중독자의 태도와 행동에 대한 질문을 체크해 보면 우리는 각자가 어느 정도 일중독에 젖어 있는지 알 수 있다.

일중독자는 과도한 완벽주의의 추구, 자신이 영향력을 행사하고자 하는 높은 욕구, 과중한 일에 대한 비정상적인 헌신, 다른 사람을 즐겁게 해 주기 위한 지나친 의욕 그리고 자신의 욕구를 먼저 만족시키고자 하는 성향을 강하게 가지고 있다. 아울러 일중독자는 전형적인 성취 지상주의자다.

일중독증이 한계에 다다르면 일 자체의 성공도 어려워지며 가족이나 친구, 나아가 자신의 웰빙 전체에 심각한 악영향을 미친다. 일중독에 걸리면 만성적인 피로와 강박관념적인 염려, 여유가 없는 성격, 심리상태의 심한 기복, 커뮤니케이션 수준의 저하, 편집증에 가까운 의심 그리고 유머 감각의 상실과 놀이를 즐기지 못하는 태도 등이 생긴다. 실패에 대한 두려움은 자신감을 갉아먹고 불안을 키우게 되어 알콜 및 약물 복용 등의 중독성 행동으로 도피하기도 한다. 나아가 자녀들에 대한 인간적인 관심이 없어지고, 외도를 심리불안의 도피처로 삼기도 한다. 일중독자들은 심한 경우 성실하지 못하고 비윤리적인 사람이 되며, 정직하지 못한 행동을 하게 되기도 한다.

물론 일중독자들은 일에 대한 몰입 때문에 직장생활이나 공적인

〔표 2.1〕 당신이 일중독자인지 어떻게 알 수 있는가?

1. 가족이나 또는 다른 분야에서보다 일에서 더 흥분하는가?

2. 일을 통해 재충전을 받을 때가 있는가?

3. 퇴근 후 저녁이나 주말 또는 휴양지에도 일을 가져가는가?

4. 당신이 가장 즐기는 활동이나 가장 많은 대화 주제가 일에 관한 것인가?

5. 주 40시간 이상을 일하는가?

6. 당신의 취미는 돈 버는 일과 관련되어 있는가?

7. 당신이 한 일의 결과에 대해 완전한 책임을 지는가?

8. 가족이나 친구들은 당신이 약속시간에 나타나리라는 기대를 포기했는가?

9. 일이 제대로 완결되지 않을까 염려되어 대비책을 마련하는가?

10. 프로젝트 완료기간을 여유 있게 잡지 않고, 빠른 목표 기간에 그것을 완수하기 위해 서두르는가?

11. 하는 일이 마음에 들면 장시간 일해도 상관없다고 생각하는가?

12. 다른 사람이 일 외에 다른 것을 우선시하는 것을 보면 화가 나는가?

13. 열심히 일하지 않으면 직장을 잃거나 실패할 것을 염려하는가?

14. 현재의 일이 잘 진행되고 있어도 미래를 늘 불안하게 생각하는가?

15. 모든 것, 심지어 놀이까지도 열심히 그리고 이기고 싶은 마음으로 하는가?

16. 다른 사람이 당신에게 하고 있는 일을 멈추고 다른 것을 하기를 요청한다면 화가 나는가?

17. 당신이 장시간 일에 몰입해서 가족 관계나 다른 인간관계를 손상시킨 적이 있는가?

18. 운전 중이나 잠자거나 또는 다른 사람이 말하는 중에도 일에 대해 생각하는가?

19. 식사 중에도 일을 하거나 무엇을 읽는가?

20. 보다 많은 돈이 있으면 인생의 다른 문제들을 해결할 수 있다고 생각하는가?

활동에서는 성공을 하는 경우도 있다. 하지만 그들의 사생활이나 내면적인 부분은 형편없는 경우가 흔하다. 반대로 일중독증에 걸리지 않은 사람 즉, 일에 지나치게 몰입하지 않는 사람은 조직생활에서 성공하기 어려울 수 있다고 생각하는 사람도 있다.

그러나 일중독은 분명히 진정한 성공을 가져올 수 없다는 것이 분명하므로, 현명한 경영자와 관리자가 추구해야 할 방향은 일중독증에 걸리지 않으면서 열심히 일해 성공에 이르는 방법이다. 아래의 사례나 다른 수많은 CEO와 경영자들이 증언하는 바에 의하면 그것은 얼마든지 가능하다.

쓰래시 1세(Purvis J. Thrash Sr) - 통찰력을 가진 CEO

쓰래시 1세는 석유공학을 공부한 후 오티스 엔지니어링(Otis Engineering)에 입사해 CEO까지 올라갔으며, 10년이 넘게 최고경영자로 일한 사람이다. 오티스 엔지니어링은 석유시추장비를 설계하고 생산하는 기업으로 1988년에 4천 명의 직원을 두었으며 3억 5천만 달러의 수익을 창출한 기업이다.

쓰래시가 오티스 엔지니어링을 경영한 시기는 석유산업이 극심한 경쟁체제 속에 있어, 이로 인한 석유 시추장비의 수요가 심한 등락을 보이는 매우 어려운 시기였다. 그러나 그는 분석적인 통찰력과 효과적인 권한 위임, 주의 깊은 계획에 의한 경영 스타일과 자신에 대한 튼튼한 사회적 후원(social support) 시스템을 활용해 스트레스를 극복하고 매우 효과적으로 일할 수 있었다. 그는 자칫 일중독이나 과도한 업무 스트레스로 삶의 균형을 잃기 쉬운 상황에서도 전체적 관점에서 일에 대한 적절한 비중과 균형을 유지했다. 그는 자신의 경험과 생각을 다음과 같이 말하고 있다.

"나에게는 가족이나 친구, 교회, 인생의 개인적 즐거움을 주는 것들이 일보다 더욱 중요했다. 나는 회사 밖에서의 활동을 중요하게 생각했으며, 이것이 오히려 회사에서 올바른 의사결정을 하는 데 필요했고, 또한 행복하고 모나지 않는 나의 성품을 만드는 데 도움이 되었다. 물론 나 자신이나 다른 사람들도 장시간 일해야 하는 상황이 있기도 했었다. 그러나 나는 장시간 일하는 것은 특정 상황에서 일시적인 것이어야 한다고 생각한다. 만약 경영자가 장시간 일하는 것이 평소의 모습이라면 거기에는 어떤 문제가 있으며 아마도 관리 방법이 잘못되었다고 생각한다."

결국 쓰래시는 건강한 상태에서 은퇴했으며, 오티스 엔지니어링을 계속 높은 수익을 창출하는 기업으로 만드는 데 성공했다. 그는 분명히 일에서도 성공했지만 삶의 전체적인 균형과 통찰력을 유지함으로써 진정한 의미에서의 성공을 이루었다고 할 수 있다.

심신의 탈진

심신의 탈진(burnout)은 경영자들에게 특히 위험하다. 이는 재충전 없는 에너지의 고갈 상태를 말한다. 열정과 재능을 구비한 경영자들은 흔히 조직이나 개인적 목적 달성을 위해 또는 더 높은 단계의 성공을 위해 많은 양의 에너지를 지속적으로 쏟아붓는다. 이 목표들은 경영자 자신들이 스스로 설정하거나, 이사회에서 결정되거나, 그들의 상사 또는 경쟁적 경영 환경 그 자체에 의해 정해지는 등 여러 가지 상황이 있을 수 있다.

열정과 노력, 보다 높은 목적과 목표 등 어느 것도 그 자체가 본질적으로 건강에 부정적인 영향을 미치는 것이라고는 할 수 없다. 다만 심신이 탈진하는 원인은 경영자와 관리자들이 충분한 휴식을 허용하지 않거나, 의욕적인 노력 후에 재충전 시간을 갖지 않거나 또는 에너지를 새롭게 만들어 낼 수 있는 후원적 인간관계 네트워크를 가지지 못하기 때문이다.

심신의 탈진 현상이 경영자를 위협하는 것은 육체적 피로보다도 오히려 정신적, 감정적으로 탈진이 되고 매사에 생기가 없어지는 경우이다. 이것은 흡사 자동차에 기름이 떨어진 것과 같다. 잠깐 동안이나 또는 일시적으로 발생하는 감정적인 침체는 여기서 말하는 감정적 탈진이나 심신의 탈진과는 다르다. 일시적인 감정적 침체는 힘든 일을 마쳤거나 정신적으로나 육체적으로 집중적인 노력을 기울인 후 또는 큰 성취를 달성하고 나서 일시적으로 경험할 수 있는 자연스러운 결과이다. 일시적으로 감정적 침체를 경험한 경영자가 이것을 인식하고 재충전의 시간을 갖게 되면 곧바로 자동차에 기름을 가득 채운 것과 같이 에너지를 회복하게 된다. 반면에 감정적 침체가 있음에도 불구하고 경영자가 재충전의 시간을 갖지 않고 계속해서 앞으로만 밀어붙이면 결국 감정적, 신체적 탈진을 가져오게 된다. 만약 경영자가 여러 날 감정적 침체 상태 속에 있다면 아마도 탈진의 상태로 가고 있다고 보아야 한다.

심신 탈진은 감정적인 탈진이 주된 현상으로 나타나지만 냉소적 태도 변화로 나타나기도 한다. 이것은 감정적 탈진보다도 더 나쁜 현상이다. 냉소적 태도 변화는 직장이나 가정에서 다른 사람에 대해 부정적인 태도를 가지게 되는 것을 말한다. 감정적 탈진은 직장이나 다른 사람과의 관계에서 소극적이고, 생기가 없고, 적극적 반응이 없는 행동 특성을 보여 주는 반면에, 냉소적 태도 변화는 적극적이며 파괴적으로 나타나는 심신 탈진의 특성이다. 심신 탈진으로 냉소적 태도를 가지게 된 사람은 대화에서도 상대방을 비꼬거나 걸고넘어지는 말을 하는 경향이 많아, 결국 상호 관계를 건전하게 발전시키지 못하고 파괴적으로 이끌어 가게 된다.

심신의 탈진은 비단 정신적인 문제만을 야기하는 것이 아니라 신체적, 행동적 차원에서도 많은 문제점을 야기한다. 심신 탈진의 신체적 증상에는 두통, 육체적 피로, 불면증, 체중 감소와 숨이 가빠지는 현상 등이 있다. 아울러 사소한 일에도 쉽게 화를 내고, 어려운 일에는 쉽게 포기하거나 좌절하고, 주변의 분위기에 따라 자신의 기분이 쉽게 영향을 받아 기복이 심하며, 예측이 어려운 위험한 행동을 하게 된다. 이러한 심신 탈진의 상태가 지속되면 음주나 신경 안정제 등을 복용하거나 심하면 마약에 빠지기도 한다.

우울증과 불안

우울증

가정전문의들의 조사에 의하면 스트레스로 인한 부작용 중 가장 많이 제기되는 것 중의 하나가 우울증이다. 이러한 우울증은 개인의 웰빙을 심각하게 위협하는 것은 물론, 기업에도 많은 손실을 파생시키는데, 미국에서만 연간 700억 달러의 경제적 손실을 초래하는 것으로 조사되었다.

경영자의 건강을 위협하는 우울증은 조울증(bipolar disorder)과 구별되어야 한다. 조울증은 흔히 유전적으로나 체질적 원인으로 갖게 되는 증상인데 감정적, 신체적 에너지가 최고조에 다다른 후에 무기력과 의욕 상실이 따라오며 이런 현상이 불규칙적으로 반복되는 증상을 말한다. 의학적으로는 근거 없이 기분이 들떠 있는 증상을 조중, 기분이 침체되어 있는 증상을 울증으로 구분하기도 한다. 조울증 환자는 자살의 위험이 있기는 하지만 치료의 성공률은 비교적 높은 편이다. 따라서 조울증은 심리적 치료와 약물 치료를 계속하면 효과가 있다고 할 수 있다.

유전적으로나 체질적 원인으로 비롯되기 쉬운 조울증과 달리 우울증은 일이나 근무 환경, 경영자의 목표나 성취 욕구의 달성 여부 등과 관련이 많다. 경영자들이 가지는 보다 높은 성취 목표나 야망은 보다 큰 성공과 성과를 달성하는 데 긍정적으로 기여하지만, 동시에 우울증으로 변질되는 씨앗이 되기도 한다. 즉, 자신이 선언한 목표를 달성하지 못하거나 조직의 목표를 달성하지 못하게 되면 우울증으로 발전할 수 있게 된다.

윈스턴 처칠의 경우 우울증이 있었다는 보고들이 많이 있으나 대부분은 다소 과장되어 있다. 처칠의 경우에는 자신이 지휘한 전투에서 연합군의 패배로 인한 감정적 충격, 일과 관련된 감정적인 폭발 등이 자칫 우울증으로 변질될 위험성이 있었다. 그러나 대부분의 우울증을 겪는 사람이 정상적인 생활을 하기 어려운 정도로 무력감에서 헤어나오지 못하는 데 반해, 처칠은 자신에게 우울증의 원인이 되었던 상황을 주도적으로 변화시키는 조치 즉, 지휘관 직을 사임하고 나서 우울증을 극복하고 자신의 삶을 다시 발전시킬 수 있었다.

'우울하게 느끼는 상태'와 정신적, 의학적 치료가 필요한 우울증의 상황은 구분할 필요가 있다. 직업적으로나 개인적인 일에서 큰 손실이나 어려움을 겪고 난 후에 경험하는 우울한 느낌은 자연스럽고 정상적인 감정의 흐름이다. 모든 경영자와 관리자들은 실패를 하고 난 후에는 누구나 잠깐 동안이나마 우울한 감정을 갖게 되는 것이다. 우울한 느낌이 문제가 되는 것은 이것이 일시적인 현상에 그치지 않고 상당 기간 지속되거나, 더욱 심화되거나, 정상적인 일의 수행이나 개인의 생활을 방해할 정도로 악화되는 경우이다.

우울증이 발생하는 배경에는 때때로 뚜렷한 원인을 알 수 없는 때도 있으나, 많은 경우에는 감정적 상처나 극단적인 실패의 경험을 한 후 이것을 충격적으로 받아들이는 상황에서 발생한다. 흔히 우울증을 야기하는 원인에는 윈스턴 처칠의 경우에서처럼 고통스러운 상실이나 패배 등이 있다. 그러한 상실은 사업이나 직업적 관계에서 친밀한 사람과의 인간관계의 상실일 수도 있으며, 사업의 실패에 따른 물질적, 재정적 손실일 수 있다.

예를 들어 2000년과 2001년에 있었던 IT 산업의 붕괴로 주가가 곤두박질하고 수많은 기업들이 부도를 겪게 되었다. 이러한 상황은 수많은 경영자와 관리자들에게 엄청난 경제적 손실과 정신적 충격을 가져오게 되어 우울증을 발생시키는 배경이 되었다.

우리의 상식과는 반대로 우울증은 또한 큰 성공을 이룬 후에도 경험할 수 있다. 그 이유는 삶의 목표나 목적이 있을 때 유지되었던 동기 부여 요소가 갑자기 없어지기 때문이다.

모든 경영자와 관리자들에게 우울증을 경험하게 될 가능성이 동일한 것은 아니다. 보통의 경영자와 관리자들의 경우에 우울증을 갖게 될 확률은 평균 10% 전후이지만 첨단 기술 분야의 경영자와 관리자들은 그 확률이 더욱 높아진다. 경력과 연령대에 따라서도 우울증의 발생 가능성에 차이가 있다. 한참 일하는 연령대와 퇴직을 한 직후의 경영자와 관리자들이 우울증에 걸릴 확률이 더욱 높다.

우울증의 가장 흔한 증세는 울적함이지만 신체적 증상을 동반하기도 한다. 식욕의 감퇴와 수면 장애 및 성욕의 상실이 바로 그것이다. 소화불량, 변비와 두통도 우울증이 원인이 되기도 한다. 심각한 경우에는 자살을 하기도 하는데, 보다(Jeremy Boorda) 미 해군 제독이 1996년에 56세로 자살한 것도 우울증이 원인이었다.

불안

가정전문의들이 가장 많이 대하는 환자의 증상은 우울증과 불안(anxiety)이다. 미국 국민의 16%, 영국 노동인구의 20%가 불안 증세를 가지고 있는 것으로 파악되고 있으나, 경영자와 관리자들 중에는 얼마나 많은 사람이 불안 증세를 경험하는지를 알 수 있는 정확한 자료가 아직은 없다.

불안은 스트레스와 마찬가지로 그 자체가 반드시 나쁜 것은 아니다. 환경이 위협적이거나 불확실한 상황에서는 불안을 느끼는 것이 공포에 대한 적절한 반응이기 때문이다. 그러나 불안이 한 가지 또는 그 이상의 다른 장애로 발전할 때는 건강상의 문제가 된다.

불안에 대한 문제는 프로이드가 처음으로 제기했는데, 현재 알려진 불안 장애(anxiety disorder)의 유형은 7가지로 구분할 수 있다. 급성 스트레스 장애, 외상 후 스트레스 장애, 공황장애, 강박장애, 사회 공포증, 광장공포증 그리고 일반적 불안 장애 등이다.

급성 스트레스 장애와 외상 후 스트레스 장애는 둘 다 어떤 고통스런 사건이나 사망 사고 등 재앙을 겪은 후에 나타난다. 급성 스트레스 장애는 고통스런 사건 중이거나 직후에 경험하는 불안과 단절감 등의 발생에서 나타나는 현상이다. 예를 들어 1998년 루비(Luby) 사의 사장은 갑작스러운 회장의 자살 소식을 듣고서 급성 스트레스 장애를 경험했다. 그는 결국 사장 자리를 사임하고야 말았다. 급성 스트레스 장애는 적어도 2일 이상 지속되며, 회복을 위해서는 약물 치료를 하거나 또는 보통 1개월 전후의 기간이 소요된다. 그러나 급성 스트레스 장애는 우울증이나 다른 만성적인 장애로 악화될 수도 있다.

급성 스트레스 장애와 대조적으로 외상 후 스트레스 장애(PTSD) 증상은 한 달 이상 지속된다. 초창기의 PTSD에 대한 연구는 주로 전

쟁을 경험한 군인이나 천재지변을 경험한 사람을 대상으로 이루어
졌다. 그러나 근래에는 점차 인도의 유니온 카바이드사와 같이 산업
재해를 겪은 기업이나, 또는 직장에서 폭력 사건이 발생한 곳의 경
영자와 관리자, 전문가 등을 대상으로 PTSD 증후가 나타나는지에
대한 관심이 증대하고 있다. 일터에서 발생하는 살인 사건이나 자살
사건이 고통스러운 사건인 것은 분명하지만, 그보다 덜 심각한 해고
와 사업장 이전 등도 PTSD와 관련해 관심을 두어야 할 사항이다.

공황장애는 공포에 의한 공격행동이 정기적으로 나타나는 것이
특징이다. 이 장애는 식은땀이 나거나, 몸이 떨리고, 호흡이 가쁘며,
기타 심한 증상을 동반한다. 경영자와 관리자들이 경험하는 공황장
애는 그 발생여부가 어느 정도 예측이 가능한 경우도 있다. 예를 들
어 대중 앞에서의 연설, 비행기 탑승 상황 등이다. 자신이 공포를 느
끼는 상황을 미리 알고 있으면 공황장애를 치유하는 것이 보다 쉬워
진다.

하워드 휴즈(Howard Hughes)는 불안 장애를 겪은 것으로 잘 알
려진 경영자인데 그는 불안 장애 때문에 대단히 비밀스럽고 은둔적
인 삶을 살았다. 관련 증거들을 살펴보면 그는 강박 장애, 사회 공포
증 즉, 다른 사람과 어울리거나 사람과의 관계에 대한 두려움 그리
고 광장 공포증을 가지고 있었던 것으로 보인다.

이러한 불안 장애는 치유할 수 있으며 치유 후에는 보다 충만하
고 풍족한 삶을 사는 것이 가능하지만, 만약 치유되지 않고 방치되
면 경영자와 관리자들의 역량 발휘와 활동을 방해하고 삶을 대단히
무력하고 비참하게 만든다. 우울증은 자살의 충동이나 심장병의 발

생 등으로 매우 위험하기까지 하지만, 불안 장애는 삶을 비참하게 만들기는 해도 당장에 생명을 위협하는 것은 아니다.

육체적 활동 부족

장시간의 근무, 빈번한 출장, 저녁시간의 회식과 미팅, 지역 사회 활동의 참여 그리고 가족에 대한 봉사 등 이런 모든 활동들은 결국 경영자와 관리자들이 육체적 운동을 하는 데 많은 지장을 준다. 아울러 운동하는 습관은 인생 초기부터 습관화해 두지 않으면 성인이 된 후에 새로 시작하기는 더욱 어려운 일이다.

세계보건기구(WHO)에 의하면 세계적으로 매년 200만 명 이상이 운동 부족이 원인이 되어 사망하고 있다. 운동 부족은 심혈관 질환, 당뇨병 그리고 일부의 암 발생에까지 관련이 있으며, 수많은 원인에 의한 조기 사망의 배경이 되고 있다. 운동 부족은 또한 관절염의 발생, 노인들의 넘어져서 다치는 것, 그 외에도 수없이 많은 형태로 건강과 웰빙을 해치는 원인이 된다. 운동 부족은 포괄적으로 신체에 나쁜 영향을 미치는데 이것은 마치 나이가 들어 발생하는 신체적 노화가 포괄적으로 건강을 취약하게 하는 현상과 흡사하다.

신체에 제대로 도움이 되기 위해서 운동은 규칙적이고 인내심이 필요한 정도가 되어야 하는데 이것은 1회 30분 이상, 1주에 5회 이상의 운동으로 규정한다. 이 기준을 적용할 때, 미국인의 경우 남자는 4명당 1명, 여자는 5명당 1명 정도가 육체적으로 활동적인 운동을 하는 것으로 분류된다.

미국에서와 동일한 기준을 적용할 때 영국에서는 남자의 3분의 1 이상, 여자의 4분의 1 이상이 무난한 수준이거나 그 이상의 운동을 하고 있다(미국 보건복지국, 1996). 유럽연합 국가들을 전체로 볼 때, 성인 남녀 3분의 1 이상이 여가 시간에 운동을 하지 않는 것으로 조사되었다. 유럽연합 국가의 국민 거의 절반이 직장에서 2시간에서 6시간까지 앉아서 일을 하며, 국민의 5분의 1은 6시간 이상을 앉아서 보낸다(영국심장재단, 2002).

한편 미국의 Top 3000 기업에 대한 조사에서 경영자의 3분의 2가 1주에 3회 이상의 운동을 하고 있는 것으로 조사되었는데 이는 미국인 평균보다 높은 수치이다(영국심장재단, 2000). 그러나 영국의 자료를 보면 비숙련 육체노동을 하는 남성들의 절반이 위에서 말한 권장 수준의 운동을 하고 있으며, 전문직은 더욱 낮아 3분의 1 정도가 권장량의 운동을 하고 있다. 아울러 운동을 하는 사람의 비율은 중산층이 가장 높고, 소득이 매우 높거나 낮은 계층은 그 비율이 매우 낮은 것으로 나타났다.

나쁜 식습관과 과체중

얼핏 보면 다소 이상하게 보이는 현상은 1990년대에 CEO들의 평균체중이 감소했다는 점이다. 이러한 현상의 원인에는 전보다 많은 여성들이 CEO가 되었기 때문이라는 견해도 있으나, 보다 중요한 이유는 남자든 여자든 모든 경영자들이 육체적 건강이 대단히 중요하며 체중조절이 육체 건강에 중요한 부분이라는 메시지를 실천했기 때문이다.

그럼에도 불구하고 1999년에 미국인 61%가 과체중이거나 비만이며, 이것은 미국을 역사상 가장 무거운 사람들의 사회로 만들었다. 영국과 미국 두 나라의 경우 1980년 이후 과체중과 비만자가 두 배가 되었다. 이 때문에 미국 내에서만 30만 명 이상이 사망했으며 과체중은 흡연에 이어 두 번째로 높은 사망의 원인이 되고 있다. 과체중이나 비만이 사망에까지 이르게 되는 이유는 주로 심장병, 고혈압에 의한 뇌졸중, 당뇨 등이다. 과체중과 비만은 관절염을 악화시키며, 수면장애나 피부 트러블을 가져오기도 한다. 2000년 한 해 동안 과체중과 비만이 초래한 직·간접적인 경제적 손실이 미국에서만 1,170억 달러에 달했다. 유럽에서도 과체중과 비만으로 인한 영향이 의료비용을 증가시키는 데 큰 영향을 미치고 있다.

논란의 여지는 있으나 현재까지 확인된 증거에 의하면 체중변화의 원인에는 유전적 요인이 전체 원인의 단지 3분의 1 정도를 차지한다. 우울증과 불안을 치유하기 위한 약물복용도 체중 증가의 원인이 될 수도 있다. 그러나 대부분의 체중과다는 먹는 것과 활동하는 것의 불균형에서 비롯된다. 은행예금 계좌와 같이 입금(칼로리 섭취)이 인출(칼로리 소모)보다 크면 체중은 증가하게 되어 있다.

흡연, 음주 및 약물과용

약물과용은 경영자와 관리자들의 건강에 위협을 주는 또 다른 주요 요인이다. 문제가 되는 약물은 적법한 것과 불법인 약물 그리고 처방에 의한 약물 등을 포함한다. 마약은 우회적인 방법으로 경영자와 관리자들의 건강을 위협하는데, 여기에는 두 가지 이유가 있다.

첫째, 흡연, 담배 및 약물 과용은 사회적, 문화적, 종교적인 금기가 작동하고 있다. 이러한 금기 의식의 연장선에서 경영자와 관리자들은 비밀리에 마약을 사용하게 되며, 이 때문에 조기에 발견하거나 치료를 하기가 어려워진다.

둘째, 많은 종류의 약물과 마약은 비록 독성이 있기는 해도 적정량을 사용하면 치료용이 될 수 있다. 따라서 약물과 마약은 양날의 검과 같이 적절하게 사용하면 건강에 도움이 되고 치료용으로 사용될 수 있지만 잘못 관리하면 심각한 건강상의 문제를 야기한다.

흡연은 경영자와 관리자들의 건강을 위협하는 요인 중에 가장 겉으로 드러나는 것이다. 흡연은 심장병과 뇌졸중뿐 아니라 암 발생 요인 중 하나다. 코카콜라의 CEO였던 고이주에타(Goizueta)는 '시가'를 심하게 피우는 사람으로 유명했다. 그가 암에 걸려 젊은 나이에 사망하자, 코카콜라는 후임 경영진이 확정되는 과정에서 많은 혼란과 갈등을 겪었다. 만약 그가 죽지 않았다면 코카콜라는 그처럼 큰 경영상의 어려움을 겪지 않았을지도 모른다.

건강악화의 결과 - 심장마비

위에서 언급한 여러 가지 건강 위험 요인들은 경영자들의 신체적 건강과 웰빙 수준 그리고 생산성에 심대한 영향을 미칠 수 있다. 그 중에서 심장마비, 뇌졸중, 동맥혈관질환 등이 가장 치명적인 형태이다. 심장혈관 질환은 지난 100년 동안 미국, 유럽 및 다른 산업화된 국가에서 경영자 사망의 주된 원인이었다. 인체의 심장혈관 시스템은 스트레스 반응과 밀접하게 연관되어 있으며, 불안 장애와도 간접적으로 관련되어 있다. 만약 심장질환이 있는데도 이것을 적기에 발견하지 못하거나 치료하지 않으면 치명적인 결과를 가져오기 쉽다.

CEO는 업무부담과 긴장도가 높을 것이라는 고정관념과 달리 조직계층상 CEO의 아래 2차, 3차 단계에 있는 경영자와 중간 관리자들이 최고위층 경영자들보다 심혈관 질환이 발생할 위험을 더 많이 가지고 있다.

심혈관 질환은 가장 많은 사망원인이고 그 발생원인 또한 가장 잘 알려져 있다. 심혈관 질환의 발생 원인에는 노력으로 극복이 가능한 것도 있고, 그렇지 못한 것도 있다. 먼저 극복 불가능한 3가지 요인에는 연령, 남성 그리고 가족과 인종적인 유전 요인이 있다. 심장질환으로 인한 사망자 중 80%가 65세 이상이며, 남성이 여성보다 위험성이 더 크다. 어울러 가족 중 심장질환으로 사망한 사람이 있거나 심장질환 발생률이 높은 인종에 속하는 사람은 이의 발병률이 높다.

심혈관 질환의 원인에는 위와 같이 경영자가 노력으로 조절하기 어려운 요인이 있기는 하지만, 노력으로 심혈관 질환을 예방할 수 있는 요소가 더욱 많다. 이미 알려진 위험 요인들 중에서 경영자와 관리자들이 직접 조치를 취할 수 있는 것으로는 6가지 원인이 있다. 흡연, 혈중 콜레스테롤, 고혈압, 운동부족, 비만과 과체중 그리고 당뇨이다. 세계보건기구에 따르면 흡연, 운동부족과 나쁜 식사 습관이 노화로 비롯되지 않은 비교적 젊은 나이의 심장질환의 80%를 유발하는 원인이 된다. 흡연은 심혈관 질환 – 다른 건강상의 위험은 논외로 하더라도 – 을 일으킬 확률을 2~4배로 증대시킨다.

이상의 6가지 요인들은 거의 모두가 경영자나 관리자들이 스스로 통제할 수 있는 생활방식 및 습관과 관련된 것이다. 다행스럽게도 생활방식과 습관을 바꿈으로써 심장 기능에 미치는 부정적 영향을 조절할 수 있다는 인식이 지난 몇 십 년 사이에 크게 증대하고 있다.

지난 10년 동안 새롭게 관심을 끈 것은 '감정'이 심혈관 건강에 미치는 영향에 관한 것이다. 초기에 월터 캐논(Walter Cannon)이 고통, 배고픔, 공포 그리고 분노 등의 감정이 인체의 신경과 심장혈관에 미치는 영향에 대한 관심을 야기한다는 사실을 알아냈다. 그 뒤 1993년에 레드포드 윌리엄스(Redford Williams)는 감정적 웰빙이 심장혈관의 건강에 밀접한 영향을 미치며, 이러한 감정은 사람을 사망에까지 이르게 할 수 있다는 것을 발견했다. 아울러 긍정적 감정은 심장혈관에 긍정적 영향을, 부정적 감정은 부정적 영향을 미치게 되는 것을 확인했다. 대표적인 사례로 아이젠하워 대통령을 생각할 수 있는데, 그는 1955년에 심장마비로 사망하기 직전에 매우 마음이 불안하고 분노한 상태였다고 한다. 대통령 재임시 그의 갑작스런 죽음은 경제에도 나쁜 영향을 미쳤을 뿐 아니라 나라 전체를 큰 고통에 빠뜨렸다.

건강 상태의 진단

조기 진단과 조기 경고

조기 진단은 경영자들에게 건강상의 어떤 문제점이 없는지를 사전에 발견할 수 있게 한다. 따라서 건강상의 심각한 문제가 발생하기 전에 이를 방지하기 위한 가장 좋은 조치가 조기 진단이다. 미국 GM이 자사의 경영자들을 대상으로 종합 건강관리 프로그램으로 활용하고 있는 듀크 경영자 건강프로그램(Duke Executive Health Program)은 〈표 2.2〉에서 보는 바와 같이 4가지 종류의 건강검진을 정기적으로 실시한다.

● 의료적 평가

종합적 건강 상태를 평가하기 위한 첫째 단계가 의료적 평가이다. 여기에서는 그동안의 진료 기록을 자료를 통해 살펴본 후 검진 장비를 이용한 종합적 신체검사를 한다. 여성 경영자들은 유방암, 자궁암, 골밀도 테스트 등을 추가로 실시한다.

● 심리사회적 위험 요인 검사

둘째 검사 항목은 심리사회적 검사이다. 스트레스, 적개심, 우울증 그리고 사회적 후원의 부족은 모두 경영자들의 건강을 위협하는 요인들인데, 아직까지 이에 대한 중요성이 제대로 인식되지 못하고 있다. 우울증은 자살에까지 이르게 하는 치명적인 위험 요인이다.

〔표 2.2〕 **경영자 건강 프로그램**

의료적 평가
• 병력
• 검진실 테스트

심리사회적 위험 요인 검사
• 지각된 스트레스
• 적개심, 냉소주의
• 우울증
• 사회적 후원

영양상태 측정
• 식사습관, 생활습관
• 3일 간의 음식 목록

신체 검진
• 유연성(flexibility)
• 심장혈관(cardiovascular)
• 근력(strength)

출처 : 듀크 경영자 건강검진 프로그램

● 영양상태 측정

셋째 단계인 영양상태 측정은 경영자들의 식사습관을 분석하고, 음식 선택에 영향을 미치는 생활습관까지도 살펴본다. 식사는 비만에서부터 심혈관 질환에 이르기까지 광범위한 부분에서 건강에 매우 중요한 영향을 미친다. 이에 대한 측정은 전문 영양사의 감독 하에 실시하게 되는데, 경영자의 일상적인 활동에 필요한 알맞은 영양을 맞추는 것이 그 목적이다.

● 신체 검진

넷째는 표 2.2에 나타난 바와 같이 신체적 검사이다. 운동 생리학자들은 이 측정 결과를 사용해 경영자들에게 운동의 빈도, 강도와 지속기간 등에 대한 처방을 해 줄 수 있다. 각 개인에 맞는 운동 처방전은 경영자의 건강을 위한 청사진이 된다.

예방적 건강관리

1장에서 우리는 경영자들이 봉착하고 있는 2가지 족쇄를 언급하며, 과연 경영자들이 직무 스트레스의 유행병에 걸려 있는지에 대한 의문을 제기했다. 스트레스가 유행병이든 아니든 중요한 문제는 예방이 가장 적절한 조치라는 점이다. 1장에서 살펴보았던 경영자들의 건강을 위협하는 여러 가지 요인들은 얼마든지 예방이 가능하다.

이 책에 소개되는 예방 차원의 다양한 건강관리 방안들은 이러한 위험과 잠재적 문제가 현실화되는 것을 미리 방지하고 경영자의 건강을 강화하는 데 사용될 수 있다. 아울러 건강상의 조기 경고에 신속히 대응하고 정확한 검진을 하는 것은 예방적 건강관리의 핵심적 요소이다. 이것은 비단 경영자 개인의 건강뿐 아니라 조직 차원의 집단적 웰빙을 위해서도 대단히 필요하다.

경영자의 건강이 조직에 미치는 영향

경영자의 건강은 단순하게 개인의 문제가 아니다. 그것은 경영자의 건강, 경험과 경륜에 의지하는 전 사원의 문제이며 따라서 경영자의 건강은 조직 전체에 집단적으로 영향을 미치는 매우 중요한 항목이다. 단기간 또는 영구히 경영자가 건강을 잃게 되는 상황에서는 – 특히 CEO가 그러한 경우 – 전체 조직에 매우 부정적인 영향을 미치게 된다.

반대로 조직의 중요 보직에 있는 경영자가 신체, 정신적으로 건강하면 이는 경영자 개인의 건강에 좋을 것은 말할 것도 없거니와 수백, 수천 명에 이르는 사람들이 일하는 직장의 안정과 조직 내의 스트레스를 완화하는 데 크게 기여하게 된다. 따라서 예방 차원에서 이루어지는 경영자들에 대한 건강관리 투자는 개인은 물론 조직 전체의 이익에 합치된다.

1. 경영자의 스트레스는 너무 과도하거나 통제 불가능한 수준이 아니라면, 관리할 수 있고 나아가 성과증대와 성취에 긍정적 영향을 미친다.

2. 경영자들도 보통의 사람과 마찬가지로 심리적, 행동적인 비정상 상태와 질환에 걸릴 위험성에 노출되어 있다.

3. 일중독증, 심신의 탈진, 우울증 그리고 불안은 경영자들의 정신 건강을 위협하는 주된 요인들이다.

4. 운동부족, 나쁜 식습관 그리고 흡연과 약물과용은 심장마비와 다른 주요 건강문제를 야기하는 핵심 요소들이다.

5. 건강검진과 예방 차원의 건강관리는 이러한 위험과 질환을 방지하는 데 최선의 수단이다.

3장

리더의 외로움

사람들은 리더와 보스의 차이가 무엇이냐고 묻는다.

리더는 공개적으로 일하고 보스는 보이지 않는 곳에서 일한다.

리더는 이끌지만 보스는 밀어붙인다.

— 테어도어 루스벨트(Theodore Roosevelt)

리더에게 내려지는 벌은 외로움이다.

— 휠러 로빈슨(Wheeler Robinson)

 직장생활을 하는 사람들 대부분의 목표는, 특히 현재 관리자 위치에 있는 사람 대부분은, 조직의 사다리를 계속 올라가 궁극적으로 CEO가 되는 것이다. 이러한 목표를 추구하는 사람은 그 이유로 높은 지위가 제공해 주는 여러 가지 외형적 특권을 든다. 그러나 그들은 경영자가 가지는 특권과 화려함은 볼 수 있지만, 최고경영자가 갖고 있는, 다른 사람에게는 잘 보이지 않는 또 다른 면을 보지 못하고 있다. 그것은 높은 위치로 올라갈수록 감수해야만 하는 외로움이다. 부하를 통솔해야 할 지휘자의 입장에 있는 경영자들은 위계구조의 특성상 가장 가까운 부하에게까지도 자신이 가지고 있는 내면의 외로움을 보여 줄 수 없다.

조직의 최고 상층부에 이미 이르렀거나 이에 가까운 위치에 오른 경영자들은 흔히 감정적 고립과 외로움을 경험하게 된다. 구조적으로 최고 경영층은 다른 사람들과 격리되어 근무하게 되고, 자연스럽게 조직 내에 동료가 줄어들게 된다. 인간은 누구나 사회적 욕구 즉, 직장에서 직원들 간에 친밀하게 지내고 싶고 동료의식을 개발하고 싶기 마련이다. 그러나 조직의 위로 올라갈수록 이러한 욕구를 충족시켜 줄 환경적 요인이 줄어들게 된다. 고위 경영자가 되면 자신의 아이디어에 대해 솔직한 피드백을 얻을 수 있는 상대방도 없으며, 감정적 스트레스가 있을 때에도 부담 없이 의견을 주고받을 사람이 없다. 경영자들은 정서적으로 고립될 뿐만 아니라 좋은 의사결정에 필요한 정직한 피드백을 얻는 것도 어렵게 된다.

오늘날 많은 경영자들은 외로움 속에서 어쩔 수 없이 견디고는 있지만, 경영자와 조직문화의 건강을 위해서는 경영자에게 외로움이 발생하는 원인과 그것이 초래하는 위험을 이해할 필요가 있다. 3장에서 우리는 경영자에게 외로움이 생기는 원인과 이것이 경영자 개인과 조직에 미치는 영향을 살펴보며, 끝으로 이것을 예방해 경영자와 조직이 발전할 수 있는 방안을 제시하고자 한다.

외로움의 원인

경영자에게 외로움이 찾아오는 원인에는 업무 자체의 특성뿐만 아니라 경영자 개인의 성격과 조직의 문화적인 면이 추가적인 원인을 제공한다. 조직 면에서 보면 위계조직의 수직적 계층 자체가 상위층에 있는 경영사들과 하위층에 있는 직원들을 분리시킨다. 한 단계씩 위로 올라갈수록 개인은 조직 내의 동료나 친구들과 멀어지게 된다. 예를 들면 어떤 경영자가 승진을 해 CEO가 된 후 부하가 된 과거의 동료나 친구에게 과거와 똑같이 친밀하게 대하면 다른 부하직원들로부터 특정 부하들과 지나치게 밀착되어 있다는 비난을 받게 된다.

문화적 가치 또한 리더를 외롭게 만드는 데 한 몫을 하고 있다. 대부분의 서구 문화는 '독립'에 대단히 높은 가치를 부여한다. 또한 상대방이 결투를 신청해 올 때 이를 회피하지 않는 사람이나, 특히 도전에 혼자서 당당히 맞서는 사람을 멋있는 사람으로 생각한다. 이러한 사회문화 속에 살고 있는 우리는 직장에서도 이러한 외로운 총잡이와 같이 독립적으로 문제를 해결하는 리더를 이상형으로 생각한다. 연구에 따르면 조직의 구성원들은 의식적이든 또는 무의식적이든 자신의 리더는 보이지 않는 어떤 힘이 있으며 쉽게 무너지지 않는 사람일 것이라고 생각하고 있다. 부하들이 가지고 있는 이러한 미신적인 생각은 결국 경영자들이 자신들의 내면에 가지고 있는 약점을 숨겨야만 하는 압력으로 작용한다.

끝으로 두 가지 성격 특성이 경영자들을 고립시키고 외롭게 만드는 데 일조하고 있다. 첫째는 '반(反)의존성(counter-dependence)'이다. 반의존성은 어린 시절에 부모로부터 건강한 스킨십이나 애착감을 발달시키지 못한 경우에 일어나는 부정적 결과이다. 어린이가 부모에게 애착감을 가지고 자라면, 특히 어린 시절에 위험이나 위기를 만났을 때 부모나 보호자와 애착감이 있었다면, 그 어린이는 건강하고 안전하게 자라며 자율적인 성인으로 자라나게 된다. 그러나 어린 시절에 밀착해야 할 대상이 없었다거나, 믿을 수 없었거나, 또는 도움이 필요할 때 도움을 받지 못했다면 그 어린이는 위험한 상황에서 자신을 보호하기 위해 역기능적인 전략을 채택하게 된다. 이 전략의 한 가지가 '반의존성' 이다. 이것은 자신이 취약점을 가지고 있거나 위험한 상황에서도 도움을 요청하지 않고, 오히려 도움을 줄 수 있는 사람을 회피하거나 부인하는 것이다. 이것은 다른 사람과의 관계 면에서 볼 때 다른 사람을 멀리하고 자신의 힘으로 어려움을 극복하려는 시도를 말한다. 다시 말하면 어려웠던 시절에 다른 사람의 믿음직한 도움을 받지 못하고 자란 사람은 어른이 되어서도 남의 도움이 필요하다는 사실 자체를 부인하는 것이다. 반의존적인 사람은 결국 남의 도움이 가장 많이 필요한 상황에서 오히려 고립되고 외롭게 된다. 이러한 성격적 특성이 경영자에게 있다면 경영자의 직무 자체가 갖는 외로움을 더욱 더 심화시키게 된다.

외로움을 가져오는 둘째 성격 특성은 '대인 방어심리' 이다. 이것 또한 경영자가 조직의 위계구조상 가지게 마련인 '리더의 외로움' 을 더욱 심화시키는 기질적 특성이다. 대인 방어심리가 있는 사람은 자신과 주변 사람 사이에 일정한 거리를 유지하는 경향이 있다. 이것은 상호 간에 거리감을 초래하고 또한 커뮤니케이션에 광범위한 부작용을 가져오게 된다. 아울러 이러한 특성을 가진 사람은 적극적 자기방어 행동을 하게 되는데, 예를 들어 자신은 항상 옳고 틀린 사람은 항상 다른 사람이라는 태도를 보인다. 방어심리의 또 다른 유형인 소극적 방어 수준에서는 '목구멍이 포도청이라 그러니 용서해 주세요' 와 같은 태도를 보인다. 이러한 두 가지 유형 모두가 경영자의 고립과 외로움을 증대시키는 결과를 가져오게 된다. 다음의 사례를 보자.

'벙키 커드슨(Bunkie Knudsen)'

리더의 외로움은 외부에서 발탁되어 경영자의 위치에 오른 사람의 경우에 더욱 두드러진다. 한 기업을 성공적으로 이끈 경영자가 다른 조직으로 옮겨 새로운 경영을 맡고 나서 리더의 외로움을 극복하지 못해 실패를 경험하게 되는 대표적인 사례가 바로 '벙키 커드슨'의 경우이다. 그는 1960년대에 자동차 산업의 중심인 디트로이트에서 기적을 만들었다고 할 정도로 성공한 사람이었다. 그는 1920년대에 시보레 자동차의 사장이 된 덴마크 이민자 윌리엄 커드슨의 아들이다. 그러나 벙키는 아버지의 후광을 입어 성공했다기보다 자신의 능력으로 실적을 올리고 명성을 얻었다. 그는 44세에 GM 역사상 최연소의 나이로 폰티악 공장의 사장이 된 사람이다.

1968년, 포드 자동차의 헨리 포드 2세는 커드슨에게 자신의 연봉과 동일한 수준인 60만 불을 제시하고 GM에서 포드로 옮길 것을 제안했고 결국 커드슨은 1968년 겨울에 포드 자동차의 사장을 맡게 된다. 그러나 그는 포드로 옮긴 후 19개월 만에 물러나게 되었다. 무엇이 '디트로이트의 기적의 사나이'로 불리던 사람을 포드에서 참담하게 실패하게 만들었을까? 그것은 그 기간에 커드슨이 겪어야 했던 경영자의 고립과 외로움이다.

그때나 지금이나 디트로이트에서는 포드와 GM 간의 경쟁이 가장 치열하다. 벙키 커드슨은 포드에 입성할 때 외부인이었을 뿐만 아니라 포드사 직원들로부터 GM 출신이라는 느낌 즉, 경쟁자로서의 이미지를 지닌 채 포드로 옮겼다. 포드의 경영층에 있던 사람들의 입장에서는 얼마 전까지 경쟁자의 입장에 있던 사람의 부하가 되어 그의 지휘를 받으며 일한다는 것이 부끄럽게 생각되었다. 더욱이 그들은 GM의 경영방식이 포드에 맞으리라고 생각하지 않았고, 동시에 커드슨이 포드 방식을 이해할 수 있도록 도와주지도 않았다. 그들은 뒷짐 지고 그가 실패하는 것을 구경하면서 시간을 보냈고, 결국 그렇게 되었다.

헨리 포드는 커드슨의 GM 경영마인드가 포드와 융합하여 포드 자동차를 더 강하게 만들 수 있을 것이라고 생각했다. 그러나 커드슨은 포드의 시스템에 끝까지 적응하지 못했으며, 업무 지시를 하는 과정에서 지휘 계통을 무시해 많은 사람들을 배제시키고 심지어 헨리 포드까지 제외시키기도 했다.

벙키 허드슨이 경험한 포드에서의 실패는 그 후 포드 직원들에게 잊지 못할 명언을 남기게 되었다. "헨리 포드 I세는 역사를 허풍(bunk)이라고 말하는데, 벙키가 그 역사가 되었다."

벙키 커드슨의 사례에서 본 것처럼 조직 최상층부의 고립은 매우 견디기 힘든 일이다. 그러나 커드슨의 경우 그가 포드의 문화나 사람, 조직에 대한 지식이 없었음을 감안할 때 충분히 예상할 수 있는 일이다.

이 사례는 외부에서 영입된 경영자의 사례를 통해 경영자가 경험하게 되는 고립을 잘 보여 주고 있다. 그러나 외부 영입의 경우가 아니라고 해도 조직의 상층부로 갈수록 경영자와 관리자는 조직 내에서 동료의 후원이나 인간적 상호접촉이 줄어들어 외로움을 느끼기 쉽다. 커드슨의 경우는 그의 성격적 특성이 어떤 영향을 끼쳤는지에 대해서는 잘 보여 주지 못하고 있는데, 다음의 사례는 경영자가 고립과 외로움에 처했을 때 그의 성격적 특성이 끼치는 영향을 보다 심각하게 보여 주고 있다.

존 커티스 2세(John Curtis Jr.)

겉으로 볼 때 존 커티스는 미국에서 성공한 경영자의 상징처럼 보인다. 그는 50세도 되기 전에 성공적 카페 체인업의 CEO가 되었으며, 대학 시절부터 사귀던 애인과 결혼해 3명의 자녀를 두었다. 누구도 커티스에게 닥칠 무서운 사건을 예측할 수 없을 정도로 그는 모든 면에서 행복한 조건 속에 있었다.

커티스는 1969년에 텍사스 공대를 우수한 성적으로 졸업했으며, 3명의 자녀를 두었고, 그 중 두 명은 아버지의 뒤를 이어

공인회계사가 되었다. 커티스는 또한 교회에서도 원로의 위치에서 어려운 사람을 돕는 사람으로 잘 알려졌었다.

커티스는 1979년에 루비(Luby) 사에 입사해 1988년에는 재무담당 이사가 되었고 8년 후에는 사장의 자리에 올랐다. 루비사의 임직원들은 커티스를 매우 좋게 평가하고 있었다. 그는 조직 내에서 매우 신사적이며 헌신적이고 완벽주의자라고 알려졌다. 그의 아내는 "남편은 나와 아이들을 사랑하며 훌륭한 사람"이라고 했다. 그러나 커티스를 관찰해 온 사람들은 그가 '코퍼스크리스티 해산물 레스토랑' 회사와 합작계획을 구상하면서부터 문제가 시작되었다고 말한다.

모든 것이 좋게만 보이던 상황이므로 1997년 어느 날 그가 한 호텔방에서 자살하자 주변의 사람들은 기절할 정도로 큰 충격을 받았다. 루비사의 직원들이나 그의 가족들 중 어느 누구도 자신들이 사랑하는 리더에게 일어난 이 비극적인 상황을 논리적으로 설명할 수 없었다. 장례식장에서 그의 아들은 "어떤 다른 이유는 없었다. 아마 아버지는 CEO의 부담을 이겨 내지 못했던 것 같다"며 울먹였다. 커티스를 CEO로 선임한 전임자도 그가 자살한 이유를 전혀 이해할 수 없었다.

그의 죽음을 조사하는 과정에서 커티스는 회사의 성과에 대해 고민을 했던 것으로 밝혀졌다. 그의 아내는 경찰에서 한 진술에서 커티스는 레스토랑의 폐쇄와 인원감축에 대한 염려로 좀처럼 잠을 이루지 못했다고 말했다. 결국 커티스는 영업이익이 약간 감소한 상황을 이사회에 보고하기로 한 바로 전날 스스로 목숨을 끊었다. 원인이 무엇이든 커티스는 상황을 생산적으로 처리하지 못하고 말았다.

고립의 결과

행위적 결과

조직에서 성공을 하겠다는 야심을 가진 경영자들은 조직의 최고 위층으로 올라가기 위해 자신의 모든 경력을 쏟아붓는다. 그 비용이 얼마든지 간에 그들은 그것을 지불할 준비가 되어 있고 용의가 있다. 만약 조직이 강한 일 중심의 문화라면 이들 목표 지향주의자들은 다른 사람보다 더 많은 시간을 일에 투입할 것이다. 이들은 아침에 가장 빨리 출근하고 저녁에 가장 늦게 퇴근한다. 만약 조직이 공격적 경영을 추구한다면 이들은 많은 사람이 놀랄 정도의 공격성을 보여 줄 것이다. 사내 정치게임에서도 이들은 앞설 것이며, CEO 자리를 위해서라면 그 어떤 것도 아깝지 않다고 생각한다.

야심에 찬 경영자들에게는 평소 인간관계를 확대하고 네트워크를 구축하는 것도 매우 중요한 사항이다. 이들은 최고로 향하는 길에서 특정 사람과의 관계가 최고 자리를 확보하는 데 결정적으로 중요하다는 것을 인식하고 있다. 예를 들어 멘토(mentor) 관계는 경력 발전의 장애물을 이겨 내는 데 도움을 주고 회사의 중요한 의사결정이 이루어지는 배경에 중요한 통찰력을 제공한다는 것을 알고 있다.

중요한 사실은 경영자들이 최고를 향해 매진하면서도, 궁극적인 목표 지점에 도달했을 때 나타나는 변화에 대응할 수 있는 준비가 되어 있지 않다는 점이다. 욕심이 있는 경영자는 최고의 자리를 위한 여정에서 빨리 승진하기 위해 여러 가지 노력들을 하게 된다. 예를 들어 상사, 멘토 및 동료 중에서도 자신에게 영향을 줄 수 있는 적합한 사람과의 관계를 구축한다. 야심 있는 경영자는 도움이 되는 클럽에 가입하고, 신문 잡지도 선별해서 보며, 대중 스포츠에도 참여한다.

최고 자리를 향한 여정에서 야심 찬 경영자가 유의해야 할 사항은 자기 억제와 대응 방법이다. 가장 중요한 억제는 상사에 대한 것이다. 아무리 공격적인 경영자라고 해도 자신의 상사에게만은 공격적이지 않는다. 상사에 대한 공격적인 행위는 자신의 승진을 지연시킬 수 있기 때문이다. 마찬가지 이유로 야심이 있는 경영자들의 동료는 때때로 공격적인 행동에 제재를 가한다. 야심 찬 경영자의 길에 치명적 걸림돌이 될 수 있는 것은 주변의 도전이나 나쁜 소문 등이다. 탁월한 능력이 있는 사람이 승진의 가도에서 탈락하는 경우가 흔히 있는데, 그 원인을 살펴보면 주변의 견제나 나쁜 소문 등에 의한 경우가 많다. 이 소문이 사실이든 아니든 조직 내 정치 게임에서는 중요한 영향을 끼치고 있는 것이 현실이다.

리더가 외로움을 심하게 느끼거나 조직 내의 다른 사람으로부터 고립되는 느낌을 경험하게 되는 것은 매우 흔한 일이다. 이럴 때 리더는 자칫 패배적이며 비생산적인 행동을 보이기 쉽다. 만약 리더가 외로움을 비생산적인 행태로 해소하고, 이것이 조기에 발견되지 않으면 리더 개인의 경력이나 그의 부하는 물론 조직 전체에 나쁜 영향을 끼치게 된다.

리더가 외로움을 경험하는 과정을 살펴보자. 고위 경영자가 되면 그동안 그를 제약했던 여러 가지 요인들이 갑자기 사라져 버린다. 아울러 성공을 이루기 위해 그동안 중요하게 여겨졌던 인간관계도 그 의미가 갑자기 달라져 버린다. 이러한 변화는 이제는 상사가 된 리더를 대하는 부하들의 태도에서부터 느껴진다. 그동안 솔직하게 마음을 열고 대화를 해 오던 부하들이 갑자기 달라지고 리더에게 거리를 두기 시작한다. 부하의 입장에서도 그동안에는 선후배나 또는 멘토의 관계를 유지해 왔을지라도 이제는 자신의 상사가 되어 있는 리더를 과거와 같이 대할 수 없게 된다. 이사회 등 공식적인 제약을 제외하면 이 시점의 최고 경영자는 자신을 구속하는 것이 아무것도 없어지고 자신의 더 큰 성공을 위해서 무엇이든 할 수 있다는 생각에 무의식적으로 빠져들게 된다.

자신을 제약하는 것들이 사라지면서, 경영자는 성공 여부가 불투명한 대형 프로젝트를 추진하게 될 수도 있다. 만약 프로젝트가 성공하면 리더는 자신에게 보여 주는 부하들의 존경심을 정당화한다. 반면에 프로젝트가 실패해도 이 리더에게는 누구도 경고를 해 주는 사람이 없으므로 프로젝트의 위험성을 제대로 알지 못할 수도 있다. 심지어 리더는 프로젝트 실패의 원인을 부하들에게 돌릴 수도 있다. 이러한 리더의 행동은 부하들에게 스트레스를 유발하고 조직을 병들게 만든다.

우울증도 리더가 빠질 수 있는 자기 패배적인 행동의 하나이다. 고립된 감정과 외로움이 생겼는데도 별다른 변화 없이 상당한 기간이 경과되면 우울증으로 악화될 가능성이 높다. 우울증에 빠져들기 시작하면 리더는 더욱 심하게 고립감과 외로움을 느끼게 된다. 이러한 상황에 놓인 리더는 의사결정에서 비합리적인 판단이나 행동을 하게 되고, 부하들과 고객에게서 더욱 멀어진다. 경영자의 입장에서도 이전까지 자신에게 조언해 주고 도와주었던 부하들이 이제는 믿음이 가지 않거나 적어도 자신과 다른 생각들을 하고 있다고 느껴진다. 리더의 우울증은 또 다른 패배적인 행위, 예를 들어 알콜중독, 약물복용 등의 도피적 행동으로 빠져들게 한다. 이러한 행동은 결국 리더를 파멸에 이르게 하고 만다.

때에 따라서 리더는 장래에 대한 불안이나 또는 죄책감에 시달려 자신이 리더가 되기까지의 성공을 평가절하하기도 한다. 경영자가 된 이후에도 계속 성공할 수 있을 것인지 불안기도 하고 또는 지금까지의 성공이 과연 자신에게 합당한 것인지에 대한 의문이 들 수도 있다. 심지어 경쟁을 해 오던 지난 시절에 다른 사람의 성공을 짓밟고 올라왔다는 생각이 들 수도 있다.

부하들의 해바라기성 태도와 행동도 리더를 잠재적 위험에 빠뜨리게 만든다. 조직의 구성원들은 자신의 심리적 안정감과 갈등 완화를 위해 리더의 행동을 이상화하는 경향이 있다. 이것은 초등학교 어린이가 선생님의 행동을 모두 존경하거나 닮고 싶어 하는 것과 유사하다.

흥미로운 것은 리더가 바뀌면 부하들은 과거의 상사와 다른 새로운 상사의 행동을 무의식적으로 또 다시 이상적으로 생각한다는 것이다. 이것은 상사의 눈에 잘 보이려는 심리와 어울려 '예스맨'이 되는 데 일조한다. 이와 같이 부하들이 의식적이건 무의식적이건 상사를 이상화하고 예스맨으로 행동하면 경영자는 오만하게 행동하게 될 위험성이 있다.

순수하게 리더를 이상화하는 부하들의 경우에는 리더가 자칫 기대 이하의 행동을 하는 경우에는 리더를 비난하는 사람으로 변할 수도 있다. 리더에 대한 그동안의 존경심은 적개심으로 바뀌며, 경영성과가 나빠지면 그 책임을 리더에게 돌리게 된다. 한편 경영자는 부하들이 경영성과의 부진을 자신의 탓으로 돌리는 것에 대해 부당하다는 느낌이 들게 되고, 부하들에게 보복하게 된다. 이러한 악순환은 부하나 조직 전체에 불안과 공포를 가져오게 된다.

클리포드 백스터

때때로 경영자들이 떠안게 되는 경영상의 비난과 책임은 감당하기 어려운 정도이다. 경영자라는 직위는 일반 직원들보다 훨씬 높은 수준의 책임을 떠맡는 자리이기 때문이다. 이러한 상황이 엔론(Enrone)사의 경영을 맡고 있던 클리포드 백스터에게 발생하였다.

2001년 하반기에 파산한 엔론사는 수많은 투자자, 채권자와 직원들을 무일푼으로 만들었다. 당시에 엔론사가 봉착한 재정적인 문제점에 대하여 경영진은 수개월 전부터 이를 감지하고 있었지만, 대부분 이 문제에 대하여 침묵하고 있었다. 설상가상으로 최고 경영진들은 1998년 10월부터 2001년 11월 사이에 자신들의 주식을 11억 달러나 처분하여 자금을 빼돌리기까지 하였다.

엔론이 파산한 후, 2002년 1월에 연방법원에서 열린 청산 소송에서 백스터는 전·현직 경영진으로 구성된 29명의 피고들 중 하나로 법정에 서게 되었다. 원고들은 백스터가 자신이 소유했던 주식 57만 주를 3천5백만 달러에 처분함으로써 회사의 파산에 악영향을 미쳤다고 주장하였다. 이에 대해 백스터는 대항할 의욕을 상실한 채 2002년 1월 25일 스스로 생을 마감하고 말았다. 이때 그는 43살이었다.

그 당시 대부분의 종업원들과 주주, 여론은 엔론의 파산 책임에 대하여 경영진들을 비난하고 책임을 묻는 상황이었다. 하지만 사실 백스터는 2001년 봄에 이미 투자자들을 속이는 엔론의 행동에 제동을 걸기 위해 노력한 몇 안 되는 경영자 중 한 사람이라고 여겨졌었다. 이런 노력이 성공하지 못하자 그는 2001년 5월에 "가족과 더 많은 시간을 보내기 위해" 사직을 하였다. 그러나 많은 사람들은 백스터의 사직도 엔론의 다른 경영자들의 예에서와 마찬가지로 회사 자산을 횡령하기 위한 수단일 것이라고 간주하였다.

신체적 생리적 결과

리더가 되어 맞닥뜨리게 되는 고립과 외로움은 조직이나 직원들이 실제 어떤 상황에 있는지 정확히 파악할 수 있는 정보를 차단시킨다. 아주 간단한 일상의 대화도 나누지 못하는 상태에서 정보의 부족함은 리더의 고립감을 더욱 심화시키는데, 이로 인해 초래되는 결과는 우리가 일반적으로 생각하는 것보다 훨씬 더 심각하다. 제임스 린치(James Lynch) 박사는 이에 관해 1960년대부터 시작한 40여 년간의 연구결과를 2000년에 밝혔다. 이에 의하면 경영자의 감정적인 고립감은 결국 울혈성 심장병으로 악화된다고 한다.

린치 박사의 연구에서 간과하기 쉬운 또 다른 중요한 발견은 고립감과 외로움이 건강에 매우 나쁜 영향을 미친다는 것을 사람들이 인식하지 못하고 있다는 사실이다. 예를 들면 린치 박사가 환자를 상담하면서 괴로웠던 경험을 이야기하게 하면 환자의 심장박동수는 위험 수준까지 높아져서 린치 박사는 환자에게 그 생각을 중단시키고 차분하게 마음을 가라앉게 해야만 했다. 흥미로운 것은 컴퓨터 모니터에 환자의 심장박동수가 급격히 증대하는 것을 확인하면서, 환자에게 괴로웠던 상황을 회고하는 순간에 자신의 심장에 부담이 왔던 것을 느낄 수 있었느냐고 질문하면 환자들은 이를 느끼지 못했다고 대답한다는 점이다. 다른 말로 설명하면 환자의 신체는 많은 스트레스를 경험하지만 환자는 전혀 인식하지 못한다는 것이다.

고립감과 외로움을 해소하기 위한 처방으로, 보다 많은 사람들과 접촉하면 될 것이라고 쉽게 생각할 수 있지만, 린치 박사는 그것이 그렇게 간단하지 않다는 것을 발견했다. 그것은 우리가 사람들로 가득 찬 체육관에 있어도 여전히 외로움을 느끼는 것과 마찬가지이다. 외로움을 극복하는 결정적 요인은 양적으로 얼마나 많은 사람과 알고 지내느냐가 아니라 단지 한 명이라도 다른 사람과 진실된 인간적인 대화와 접촉을 경험하느냐에 달려 있다.

울혈성 심장질환을 겪는 환자를 치유하기 위해 린치 박사가 제시하는 처방은 '포용의 생리학(physiology of inclusion)'이다. 포용의 생리학은 자신과 세상과의 조화, 또는 상생의 마음을 추구할 때 느낄 수 있는 생리적 안정 상태를 의미한다. 이에 반대되는 개념은 '배제의 생리학(physiology of exclusion)'이라고 할 수 있다. 이것은 인간이 생존하기 위해서는 주변과 끊임없이 경쟁하고, 자신이 존재하기 위해서는 남과 싸워 이겨야만 한다는 관점이다. 이것은 상대방을 만났을 때 싸우거나 도망가거나 둘 중의 하나를 택하는 심리이며, 경영자에게 고립감이나 외로움을 심화시키는 요인이 된다.

경영자를 위한 예방적 조치들

고립감과 외로움이 경영자와 관리자들에게 초래하는 건강상의 위험은 비록 심각하지만, 다행스러운 것은 이것을 예방하기 위해서 개인이 취할 수 있는 방안들이 있다는 것이다. 경영자 코칭, 외부 동료의 후원, 경청자 그리고 글쓰기의 방법 등이 바로 그것이다.

경영자 코칭

　모든 사람에게는 장점과 단점이 있게 마련이다. 조직 생활을 할 때 각자에게 나타나는 미흡한 부분에 대해 상대가 부하인 경우에는 상사나 선배가 솔직한 피드백을 해 주거나 교육을 통해 개선시켜 나갈 수 있다. 그러나 경영자가 어떻게 하고 있는지에 대해서는 조직 내부에서 피드백을 듣기 힘들다. 상사가 듣기 싫은, 그러나 실제 필요한 피드백은 아무도 해 주지 않기 때문이다.

　경영자가 조직 내에서 피드백을 들을 수 없는 한계를 극복하는 효과적인 방법이 경영자 코칭(coaching)이다. 운동선수에게 코치가 있는 것처럼 경영자 개인의 리더십 스타일이나 장단점에 대해 외부의 전문코치를 활용해 개선점을 찾아가는 기업들이 점차 늘고 있다. 전문코치는 관리자와 경영자들이 고민하고 있는 사안이나 아이디어 등에 대해 일대일로 상담하고 솔직한 피드백을 제공해 줄 수 있으며, 경영자의 입장에서도 비밀보장에 대한 염려를 하지 않아도 된다. 코치는 경영자의 생각에 대한 의견을 제공할 수 있으며, 과거에 동료로서 피드백을 해 주었던 직원들이 이제는 부하가 되어 버린 입장 때문에 진실된 피드백을 제공할 수 없게 된 상황에서 이 역할을 대신해 줄 수 있다.

　코치는 경영자 본인의 속마음을 부하에게 털어놓았을 때 염려되는 부작용이 전혀 없기 때문에 경영자가 자신의 생각이나 염려를 털어놓을 수 있는 상대 역할을 해 준다. 코치는 단지 경영자의 고민을 털어놓을 수 있는 믿을 수 있는 경청자의 역할만 하는 것은 아니다.

코치는 경영자가 고민하는 사항에 대한 지식을 어느 정도 필요로 한다. 이를 위해서 코치는 경영자가 속한 조직이나 산업에 대한 이해가 있거나 적어도 상담의 심리학적 지식이 있어야 한다. 경우에 따라서는 코치가 경영자 개인의 경청자보다 더 효과적이다. 왜냐하면 코치는 경청자보다 경영자가 봉착한 문제에 대해 감정이 개입되지 않은 객관적인 관점에서 조언해 줄 수 있기 때문이다.

많은 관리자와 경영자들이 경험이 많은 선배 경영자들로부터 멘토링의 형태로 코칭을 받기도 한다. 멘토링이 관리자와 경영자의 능력 발전에 매우 효과적인 방법인 것은 사실이지만, 경영자와 관리자가 조직의 상층부로 올라갈수록 멘토의 역할을 해 줄 수 있는 사람이 매우 적거나 거의 없어지게 된다. 경영자가 최고 경영층에 오르게 되면 이제 더 이상의 멘토는 없어지게 되므로 결국 외부 코치의 도움을 받아야 한다.

동료의 후원

앞에서도 살펴보았듯이 대부분의 관리자와 경영자의 경우에 조직의 상층부로 올라갈수록 조직 내에서 동료를 찾기란 점점 어려워진다. 따라서 일부의 경영자는 경영자 코칭을 활용하며 또 다른 경영자는 조직 밖에서 동료를 찾는다. 운이 좋은 경영자라면 경쟁관계에 있지 않은 다른 회사에서 비슷한 지위에 있는 경영자와 속마음을 털어놓을 수 있는 동료애를 만들 수 있다. 그러나 대부분의 경영자에게 이러한 복 많은 상황은 평생 찾기 어렵다. 이 문제를 해결하기 위한 방안은 결국 동료들을 만날 수 있는 장을 제공하는 단체에 참여하는 것이다.

'젊은 사장들의 모임(YPO: www.ypo.org)'이 그러한 단체 중 하나이다. 1950년 레이 히콕(Ray Hickok)이 창설한 이 단체는 젊은 나이에 경영자가 된 사람들에게 경영에 도움이 되는 경험과 마음의 안정을 제공하는 역할을 한다. 이제는 국제적인 단체가 된 이 조직은 세계의 남녀 경영자들에게 서로간의 경험을 공유하고 배움의 장을 제공하고 있다.

YPO의 사명은 '세계적으로 교육과 아이디어 공유를 통해 보다 훌륭한 경영자를 육성시키는 것'이다. 회원제인 이 단체는 경영자들이 필요한 경영상의 아이디어나 경험들을 얻을 수 있으며 또한 개인적인 염려나 문제를 해결하는 데 무제한의 자료를 제공해 준다. 경영자들은 YPO와 같은 단체의 회원이 됨으로써 잃어버렸던 동료들의 후원을 얻는 데 중요한 원천을 제공받을 수 있다.

경청자

관리자와 경영자가 조직의 성공이나 개인적인 성취를 지속하기 위해서는 풍부한 지식과 후원이 필요하다. 정신적인 건강을 위해서는 스트레스의 누적을 방지해야 하며, 이를 위해서는 경영자의 내면의 고민이나 열등감 등을 믿고 털어놓을 수 있는 사람 즉, 경청자(confidant)를 가지는 것이 매우 중요하다. 이 문제를 해결하기 위해 많은 경영자들은 아내에게 의존한다.

파트너나 배우자와 관계가 좋아서 경청자의 역할을 해 주는 경우, 그 경영자나 관리자는 매우 운이 좋으며 큰 재산을 가지고 있는 사람이라고 할 수 있다. 역사상 배우자로부터 인간적인 지지와 신뢰를 받음으로써 경영의 어려움을 이겨 낼 수 있었던 경영자들이 많았다. 하나의 예가 크라이슬러 자동차를 위기에서 구한 리 아이아코카이다. 그가 아내 메리와의 37년 결혼생활에서 얻은 인간적 지지는 그를 엄청난 스트레스에서 벗어날 수 있도록 해주었다.

두 사람의 심층적인 심리적 유대감을 자세히 알 길은 없으나, 적어도 1983년 메리의 사망 이후 아이아코카가 안정을 잃었다는 것은 확실하다. 그 후 11년 동안 아이아코카는 두 번이나 결혼을 하지만 모두 이혼하면서 메리에게서 얻은 정도의 인간적 지지를 얻을 수 있는 상대방을 찾기 위해 처절한 노력을 해야 했다.

배우자에게서 든든한 후원을 얻은 또 하나의 사례로 존 아담스(John Adams) 대통령이 있다. 그는 비록 아내 애비게일(Abigail)과 결혼기간의 대부분을 서로 떨어져 지냈으나 두 사람이 주고받은 편지에서 서로의 깊은 정신적 지지를 알 수 있다. 애비게일이 보여 준 남편에 대한 사랑과 지지 그리고 이해의 감정은 아담스가 어려움을 극복하는 데 큰 원천이 되었다.

아마도 배우자의 후원이 많은 도움이 되었던 또 다른 사례 중에서 자료가 가장 잘 남아 있는 것은 윈스턴 처칠 수상과 아내 클레멘타인의 경우일 것이다. 그들의 딸 메리가 쓴 『윈스턴과 클레멘타인: 처칠 부부의 개인적 편지들 *Winston and Clementine: The Personal Letters of the Churchill*』에는 두 사람의 사랑과 친밀감이 너무도 확실하게 나타나고 있다. 이러한 친밀한 상호 관계에서 얻을 수 있는 심리적 후원은 처칠이 제2차 세계대전을 영국의 승리로 이끄는 과정에서 겪어야 했던 수상으로서의 엄청난 스트레스를 이겨 내는 데 많은 도움을 주었다.

글쓰기

경영자가 고립감을 이겨 내는 데 도움이 되는 가장 간단하고 흥미로운 방법은 글쓰기다. 제임스 페니베이커(James Pennebaker) 박사는 글을 쓰는 것이 고통을 겪고 있는 사람들에게 어떤 효과가 있는지에 대해 광범위한 연구를 실시했다. 그의 연구에 참여했던 사람들에게 나타난 글쓰기의 효과는 한마디로 놀라울 정도였다.

글쓰기는 우리들이 고민하는 문제의 해답을 찾는 데 도움이 된다. 최고 경영자는 매시간 골치 아픈 문제들에 매달리게 되며, 이것은 경영자들의 밤잠을 설치게 하거나 여러 가지 부작용을 초래한다. 그러나 경영자가 복잡한 문제에 대해 글을 써 보면 글쓰는 동안 하나의 이슈에 집중할 수 있게 된다. 자신의 생각을 종이나 컴퓨터에 잘 설명하기 위해 글을 쓰는 과정에서 경영자는 복잡한 문제를 논리적으로 생각해 보고, 또 이를 글로 표현해도 이해가 갈 수 있도록 명료하게 생각하게 된다. 바로 이것이 경영자의 복잡한 머리를 일관성 있게 체계적으로 정리해 주는 효과가 있다.

페니베이커에 의하면, 해결되지 않은 문제들은 사람의 머릿속에 잠재해서 남아 있는 반면, 완전하게 해결된 생각들만이 머릿속에서 정리되어 사라지게 된다. 그리고 사람은 머릿속이 정리되어야만 다음 문제 진행으로 넘어갈 수 있다는 것을 발견했다.

글쓰기의 또 다른 이점은 문제가 복잡하게 얽혀 있는 상황에서 의미와 이해를 정확하게 한다는 점이다. 경영자들은 문제가 대단히 복잡하거나 상황이 애매해 의사결정의 결과에 확신이나 자신감을 가질 수 없는 상황에 자주 처하게 된다. 이러한 경우에는 어떠한 결정을 하더라도 일부 사람은 이익을 얻게 되지만 다른 사람은 손해를 보게 된다는 것을 알고 있다. 이때에 경영자는 자신의 결정이 옳았다고 말할 수 있기 위해 결정 내용에 대해 나름의 '의미'를 찾아내야 한다. 이러한 의미를 발견하는 데 글쓰기가 많은 도움이 된다.

글쓰기는 또한 경영자가 현재 가지고 있는 패배감을 떨쳐 버리고 치유하는 효과가 있다. 회사나 경영자 개인이 아무리 성공적이고 유능하다고 해도 때에 따라서 패배나 손실을 경험하게 된다. 또한 경영자는 추진하는 일의 성공을 위해 일하므로 그 업무의 특성이 본질적으로 경쟁적일 수밖에 없으며 업무 환경도 항상 경쟁적 상황에 놓여 있게 된다. 따라서 경영자가 항상 목표대로 성공을 한다거나 경쟁자에게 승리만 할 수 없다는 것은 자명한 사실이다. 때때로 패배를 경험했을 때 경영자가 이로부터 신속하게 벗어날 수 있는 효과적인 방법이 글쓰기이다.

글을 쓰게 되면 사람들은 복잡하거나 고민스러운 문제 상황에서 좀 떨어져서 문제를 객관적으로 볼 수 있는 시야가 생긴다. 또한 글쓰기의 효과 중에서 가장 중요한 것은 글을 씀으로써 실제 상황에 대한 감정적 반응이 크게 완화된다는 사실이다. 특히 고통스러운 상황에서도 침착한 상태에서 문제를 객관적으로 바라볼 수 있도록 도움을 준다. 글쓰기의 이러한 효과는 경영자들이 당면한 복잡한 문제의 해결책을 찾아내고 다른 문제를 해결할 수 있게 하는 데 도움을 준다.

글쓰기에 대한 가장 중요한 발견은 글쓰기가 경영자의 건강과 일의 성과를 분명히 높여 준다는 점이다. 일기를 쓰듯이 매일 글쓰기를 한다면 미해결 문제로 남아 있는 골칫거리들의 해결방안을 찾아낼 수도 있다. 이렇게 되면 경영자는 매일의 문제들을 맑은 정신과 새로운 도전의식을 가지고 효과적으로 맞이할 수 있다.

결론

경영자가 겪는 고립감이나 외로움은 경영자의 직무 특성상 어쩔수 없는 상황이긴 하지만, 이것이 가져올 수 있는 위험이나 잠재적파급 효과를 잘 알고 있을 필요가 있다. 아울러 경영자나 관리자는 자신에게 적절한 방법으로 고립감이나 외로움이 야기하는 어려움을해결하기 위한 노력을 기울여야 한다.

3장 정리

1. 경영자와 관리자는 조직의 상층부로 올라갈수록 어느 정도의 고립감이나 외로움을 겪게 된다는 것을 예상해야 한다.

2. 경영자가 겪게 되는 외로움은 조직의 구조적인 문제로부터 비롯되기도 하지만, 이 외에도 사회 문화적 혹은 개인적인 성격 요인들이 추가적인 원인이 되기도 한다.

3. 고립감이나 외로움을 겪는 경영자는 행동적 또는 정신적인 어려움을 겪을 위험이 있다.

4. 경영자 코칭, 동료의 후원, 경청자 그리고 글쓰기 등은 모두 리더의 고립감이나 외로움을 극복하는 데 도움이 되는 방법들이다.

4장

과중한 업무와 출장

직장인이 행복하기 위해서는 3가지 조건이 충족되어야 한다.

적성이 맞아야 하며, 그 일을 너무 많이 해서는 안 되며,

그 일에서 성취감을 느낄 수 있어야 한다.

— 존 러스킨(John Ruskin)

직장에서의 과중한 업무와 출장으로 인한 부담과 사생활에 필요한 역할 즉, 가족이나 사랑하는 사람과 함께하는 시간 사이에 적절한 조화를 유지하는 것은 결코 쉬운 일이 아니다. 이것은 일주일에 60~100시간을 일하는 관리자나 경영자의 경우에는 더욱 그러하다. 지나친 업무량, 장시간의 근무, 빈번한 출장 등은 오늘날 수많은 경영자의 삶의 질을 저하시키는 요인들이다. 이러한 부담감은 경영자의 신체적, 정신적 건강을 위협하는 원인이 될 뿐만 아니라 경영자가 한창 일할 나이에 은퇴하게 되는 배경이 되기도 한다.

영국 최대 보험회사의 CEO였던 대니 오닐(Danny O' Niel)은 41세에 CEO 자리를 포기했는데, 그 원인은 계속되는 출장으로 인한 일의 부담이 가족생활과의 균형을 유지하는 데 큰 장애가 되었기 때

문이다. 2002년 기자회견에서 그는 딸이 18세 때, 대학생이 되어 집을 떠나게 되자 그동안 딸과 같이 보낸 시간이 너무나 적은 것을 실감하게 되었고, 이제부터라도 9살짜리 세 쌍둥이와 더 많은 시간을 갖기 위해 CEO 자리를 사임한다고 밝혔다. 즉, 그는 일과 개인생활의 불균형에서 탈피하고자 CEO 자리를 포기한 것이다.

또 다른 사례로, 2002년 1월에 영국 국제개발국장의 자리를 제의받은 한 고위 공무원은 수락 조건으로 5시 30분에 퇴근할 수 있게 해달라고 요구했다. 이 자리는 주 70시간의 다양한 일처리를 해야 하는 자리인데 그는 일과 가정생활의 조화가 중요하다는 사실을 인식했던 사람이라고 할 수 있다. 4장에서 우리는 경영자의 건강을 위협하고 가정생활과 직장의 균형을 파괴시키는 과도한 업무부담과 출장이 직장인의 웰빙에 미치는 영향을 살펴보고자 한다. 이것은 CEO 자리를 자진 사퇴하거나 국제개발국장의 자리를 조건부로 수락한 위의 경우처럼 근무 조건의 상한선을 설정하는 데 시사점을 준다.

직장에서의 업무 부담과 스트레스의 요인들

편(fun) 경영으로 유명한 미국 사우스웨스트 항공사의 CEO인 허브 켈러허(Herb Kelleher)가 대중들에게 보여 주었던 외형적 이미지는 창의적이고 넘치는 재치와 유머로 기업을 성공적으로 이끌었다는 것이다. 그러나 그는 내면적으로 1960년대에 항공사를 경영하던 초기부터 심각한 스트레스와 업무 부담을 느꼈다. 켈러허는 1967년에 설립된 에어 사우스웨스트 컴퍼니(Air Southwest Company)의 공동 창업자 중의 한 사람이었다. 이후 3년간 다른 세 개의 항공사와 법정 다툼이 발생했는데 텍사스 주 대법원과 연방 대법원까지 소송이 계속되었다. 이 소송은 대단히 힘든 싸움이었는데 최종적으로 허브 켈러허가 승리했으며 이로써 '사우스웨스트 항공사'가 3년 만에 겨우 비행기를 이륙시킬 수 있게 되었다. 초기의 소송에 참여했던 3개의 항공사 중에서 컨티넨탈(Continental)항공사만 소송 이후에도 운영되고 있다. 켈러허의 탁월한 경영능력에 힘입어 9.11 테러 이후 모든 항공사들이 경영 위기를 겪었음에도 사우스웨스트 항공사는 직원을 해고시키지 않고 계속 성장하는 유일한 회사이다.

기업을 경영하다 보면 소송도 있을 수 있으며, 이외에도 경영자의 직무 수행에 스트레스를 주는 요소들이 많이 있다. 경영자들에게 부담을 주는 중요한 요소에는 다음의 7가지를 생각할 수 있다.

- 직무 자체의 내재적 요인
- 출장과 출퇴근
- 조직에서의 개인의 역할
- 일터에서의 인간관계
- 경력 스트레스와 업무 성격의 변화
- 조직문화
- 가정 - 직장의 애로

주요 스트레스와 부담 요인들은 〈그림 4.1〉에 나타나 있다.

직무 자체에 내재된 스트레스 요인들

업무량이 과도하게 많으면 이것은 관리자와 경영자들에게 중요한 스트레스 요인이 된다. 업무량과 성과와의 관계가 곡선형 관계에 있다는 '여크-도슨 법칙' 은 2장에서 언급한 바 있다. 〈그림 4.2〉볼 수 있는 바와 같이 역 U자 형의 이 법칙은 업무량과 성과의 수준 그리고 경영자의 건강에 미치는 영향에 대해 시사하는 바가 많다. 업무과다(work overload)는 하는 일의 양이 지나치게 많거나 일이 너무 어려우면 발생한다. 이렇게 되면 일하는 시간이 길어지고 이것은 다시 스트레스나 부담을 증가시킨다. 일의 마감시간이 다가올 때 느끼는 부담은 업무과다와 혼돈할 수 있으나 이것은 또 다른 형태의 스트레스 요인이다.

조직의 중간 위치에 있었던 관리자가 탁월한 성과를 올려 갑자기 경영층으로 승진하게 되면, 이 사람은 지금까지 경영층의 업무인 전략적 역할을 수행한 경험이 없기 때문에 질적인 면에서 업무과다 현상이 발생할 수 있다. 중간 관리자로서는 우수한 역량을 갖춘 사람일지라도 경영진으로 승진한 후에 전략적 역할을 새롭게 수행하는 과정에서 상당한 스트레스를 느끼게 되는 것이다. 만약 이 경영자가 과거에 동료로 일했던 사람을 문책해야 하는 상황이 되면 스트레스는 더욱 심화된다.

양적인 업무과다의 대표적인 결과가 초과근무이다. 단순히 하는 일의 양이 많아도 초과근무를 하게 되지만, 일의 난이도가 너무 높아져도 만족할 만한 수준으로 마무리하기 위해서 연장근무를 하게

[그림 4.1] 스트레스와 건강 모델

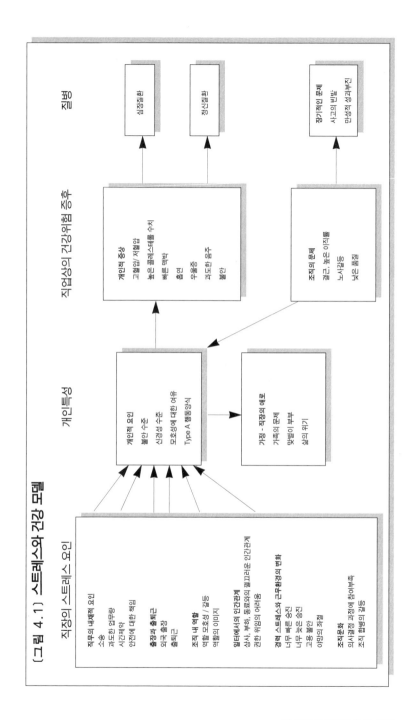

직장의 스트레스 요인

직무의 내재적 요인
소음
과도한 업무량
시간제약
안전에 대한 책임

출장과 출퇴근
외국 출장
출퇴근

조직 내 역할
역할 모호성 / 갈등
역할의 이미지

일터에서의 인간관계
상사, 부하, 동료와의 껄끄러운 인간관계
관한 위임의 어려움

경력 스트레스와 근무환경의 변화
너무 빠른 승진
너무 늦은 승진
고용 불안
이망의 좌절

조직문화
의사결정 과정에 참여부족
조직 활방의 갈등

개인특성

개인적 요인
불안 수준
신경성 수준
모호성에 대한 여유
Type A 행동양식

가정 - 직장의 애로
가족의 문제
맞벌이 부부
삶의 위기

직업상의 건강위험 증후

개인적 증상
고혈압 / 저혈업
높은 콜레스테롤 수치
빠른 맥박
흡연
우울증
과도한 음주
불안

조직의 문제
결근, 높은 이직률
노사갈등
낮은 품질

질병

심장질환

정신질환

장기적인 문제
사고의 반발
낮성적 성과부진

4장 과중한 업무와 출장 103

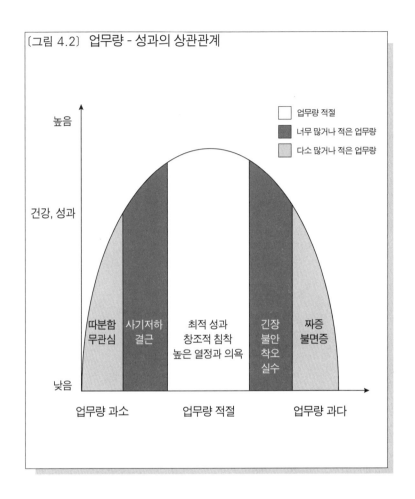

〔그림 4.2〕 업무량 - 성과의 상관관계

- 업무량 적절
- 너무 많거나 적은 업무량
- 다소 많거나 적은 업무량

높음

건강, 성과

낮음

따분함
무관심

사기저하
결근

최적 성과
창조적 침착
높은 열정과 의욕

긴장
불안
착오
실수

짜증
불면증

업무량 과소   업무량 적절   업무량 과다

된다. 연구에 의하면 근무시간이 지나치게 많아지는 것과 심장질환의 발병에는 상관관계가 있다. 예를 들어 100명의 심장병 환자에 대한 연구에서 25명은 2개의 직업을 가지고 있는 것으로, 나머지 40명은 1주에 60시간 이상 일하는 것으로 나타났다.

영국의 한 경영연구소는 5년에 걸쳐 중간 관리자로부터 최고 경영자에 이르기까지 5천 명을 대상으로 근로생활의 질(Quality of

Working Life)을 조사한 바가 있다. 이에 의하면 2000년도에 40% 이상의 관리자가 주당 51시간 이상을 근무하는 것으로 나타났다(10%는 61시간 이상 근무). 왜 이렇게 장시간 일하느냐는 질문에 대해 3명 중 2명은 그것이 조직문화라고 답했고, 54%는 비록 할 일이 없어도 그것이 '회사에서 바라는 것'이라고 답변하고 있다. 여기서 우려해야 할 점은 이렇게 과다한 근무시간 때문에 그들의 건강이나 인간관계가 심각하게 나쁜 영향을 받고 있다는 점이다. 연구 대상자의 65%는 건강이 나빠졌으며, 71%는 지역활동에 지장을 받았고, 59%는 근무 사기가 저하되었고, 72%는 배우자와 관계가 나빠졌고, 77%는 자녀들과의 관계가 악화되었다고 했다. 흥미로운 것은 이러한 부정적 영향의 정도는 중간 관리자나 최고 경영층 등 지위의 높고 낮음에 차이가 없다는 것이다.

출장과 출퇴근

뉴욕 세계무역센터를 붕괴시킨 끔찍한 테러가 있었던 2001년 9월 11일 이전까지 비행기를 이용한 장거리 출장은 관리자와 경영자의 일상적인 업무수행이었다. 그러나 9.11 이후부터 많은 기업들은 경영자들의 항공 여행을 제한하거나 적어도 안전상의 경각심을 주고 있으며, 일부 기업들은 명시적인 상한선과 지침을 수립하기도 했다. 경영자가 수행하는 일의 성격이 긴장과 스트레스의 연속인 상황에서 더욱 강화된 보안 검사 등으로 이제 항공 여행은 경영자들을 힘겹게 하는 또 다른 요인이 되었다. 여행은 사람의 마음을 넓혀 준다는 말이 있지만 일 때문에 빈번하게 출장을 다녀야 하는 경영자들에게는 매우 짜증나는 일이기도 하다.

많은 연구들에서 출장은 경영자들에게 상당한 스트레스를 초래하고, 업무 성과 달성에 부정적인 영향을 미치는 것으로 나타났다. 최근에는 세계 은행그룹이 '스트레스, 출장 그리고 기업의 건강' 이라는 제목으로 출장이 경영자의 건강에 미치는 영향에 대한 심포지엄을 개최하기도 했다. 아울러 출장을 많이 다니는 경영자의 배우자가 그렇지 않은 경영자의 배우자에 비해 스트레스나 다른 건강상의 문제를 많이 가지고 있음이 나타났다.

장거리 출장뿐만 아니라 매일의 출퇴근도 경영자들에게 또 다른 스트레스 요인이 되고 있다. 특히 2시간이 넘는 출퇴근 시간은 업무 수행에 지장을 초래한다. 스트레스를 많이 경험하고 있는 경영자가 운전을 하는 경우 운전사고를 낼 가능성이 많다는 조사결과도 나왔다. 카트라이트(Cartwright) 교수 팀은 직접 운전을 하는 경영자 100명 이상을 대상으로 스트레스와 운전사고와의 관계를 연구한 바 있다. 3년에 걸친 연구에서 운전사고를 낸 경영자는 사고를 내지 않은 경영자에 비해 스트레스 수준이 뚜렷하게 높았던 것으로 나타났다. 교통사고를 낸 경우에 연령과는 관계가 없었다. 그러나 시간관리를 잘하는 경영자는 그렇지 않은 경영자보다 사고 발생률이 낮았다. 그 이유는 시간관리를 잘하는 경영자는 여행을 계획할 때 예상 밖의 상황에 대비해 여유 있게 시간 스케줄을 잡음으로써 긴급하게 운전해야 할 상황을 만들지 않기 때문이다.

조직 내 역할

1964년에 발표된 로버트 칸(Robert Kahn) 교수의 연구에 따르면 조직 스트레스가 발생하는 주된 요인은 역할 갈등(role conflict)과 역할 모호성(role ambiguity) 때문이다. 아울러 근래에는 경영자의 조직 내 역할에서 비롯되는 스트레스 요소로서 '타인에 대한 책임의 정도'에 대한 관심이 모아지고 있다. 즉, 자신이 책임지고 있는 조직에 수천, 수만 직원의 생계가 달려 있다면 경영자는 어떻게 해서라도 기업을 계속 유지 발전시켜야 한다는 책임감을 가지게 되며, 이것은 경영자에게 엄청난 스트레스를 줄 수 있다.

역할 갈등은 직장의 어떤 사람에 대해 주변 사람들의 기대가 일치되지 않을 때 발생한다. 예를 들면 휴렛패커드의 CEO인 칼리 피오리나는 컴팩을 합병하기로 한 이사회의 결의를 창업주의 두 아들이 강력하게 반대하자 심각한 역할 갈등을 겪어야 했다. 이와 같은 상황에서 많은 경영자들은 다른 행동을 해 주기를 원하는 두 그룹의 이해관계 – 창업주 등 소유주 그룹과 이사회 등 경영자 그룹 – 사이에서 곡예를 해야 한다. 다양한 이해관계 그룹들이 각기 반대되는 요구를 하는 경우에 경영자는 역할 갈등으로 고생할 수밖에 없다.

역할 모호성은 경영자가 경험하는 두 번째의 중요한 스트레스 요인이다. 이것은 경영자에게 기대하는 역할이 혼란스럽거나 모호한 경우에 발생한다. 이 모호성은 경영자가 자신이 담당해야 하는 역할에 대한 이해가 부족한 경우에도 발생한다. 1981년, 레이건 대통령 저격사건이 발생하자 헤이그(Haig) 국무장관이 기자 회견에서 "현재 시점에, 백악관은 나의 통제 하에 있다"고 발표한 경우도 역할 모호성의 한 사례이다. 법률의 규정에 의해 대통령 유고 시에는 당연히 부시 부통령이 대통령 직무를 대행하도록 되어 있기 때문이다.

책임감은 경영자의 세 번째 스트레스 요인이다. 조직 내 책임은 두 가지 유형으로 구분되는데, 사람에 대한 책임과 자금과 물자 등의 사물에 대한 책임으로 구분된다. 사람에 대한 책임이 특히 스트레스를 많이 유발하는데, 연구에 의하면 사람에 대한 책임이 물자에 대한 책임보다 심장병을 초래할 가능성이 훨씬 높다. 사람에 대한 책임으로 생기는 스트레스를 줄이기 위해서는 회의 참석, 마감 시간의 준수 등 사람과의 상호작용 활동에 대한 시간투자를 많이 해야 한다.

일터에서의 인간관계

인생에서 가장 힘든 일 중의 하나가 다른 사람과 함께 일하고 함께 살아가면서 겪게 되는 갈등이다. 어느 성경학자의 말을 빌리면 인생에서 가장 괴로운 것 3가지는 건강을 잃은 괴로움, 너무나 가난할 때의 괴로움, 인간관계의 괴로움이라고 한다. 이 말이 의미하는 바는 건강이나 경제적 문제만큼이나 인간관계가 우리의 삶의 질을 좌우한다는 것이다.

대부분의 사람은 깨어 있는 시간의 3분의 2를 직장에서 보낸다고 해도 과언이 아니다. 그래서 직장에서 행복하면 그 사람의 인생은 행복하고, 직장에서 불행하면 인생이 불행하다고 말해도 크게 틀린

말은 아니다. 직장에서 좋은 인간관계를 유지하는 것은 개인은 물론이거니와 조직의 건강에도 매우 중요하다. 같이 근무하는 사람끼리 신뢰가 없고 서로 협조하지 않으며, 조직 내에 문제가 있어도 이를 해결하기 위한 관심이 부족하다면 이것은 직장에서 인간관계가 원만하지 못하다는 것이다. 더구나 불신은 스트레스의 원인인 역할 모호성을 더욱 증대시키며, 이 역할 모호성은 상호간에 커뮤니케이션을 왜곡시키고 서로간의 심리적 긴장감을 가져오게 된다.

언어표현 방법에 있어서 직설적으로 말을 하는 경영자들은 동료와 부하들의 기분을 상하게 하지만 본인은 이것을 미처 인식도 하지 못하면서 상대방에게 많은 스트레스를 주게 된다. 직설적으로 말을 하는 사람은 성과 지향적인 성격을 가지고 있는 경우가 많다. 이들은 일 추진에 있어서 열정적이라는 장점이 있지만 인간관계의 감정 관리 면에서는 효과적이지 못하다. 일에 대한 그들의 완벽성, 자기 중심적인 시각 그리고 거만하고 상대방을 비판하는 스타일은 상대방에게 거부감을 갖게 하고 원만하지 못한 사람이라는 느낌을 갖게 한다. 직설적 성격의 사람은 상대방의 입장에서 보면 감정적으로 원만하게 지내기가 무척 어려운 상대이다. 특히 이런 사람이 지위가 높은 경우에는 부하들에게 인간관계상의 많은 상처를 주게 되거나 심각한 스트레스를 주기 쉽다.

상사와 부하간의 인간관계상의 갈등이나 어려움뿐 아니라 수평적 동료간에도 경영자와 관리자들은 상호간에 경쟁을 피할 수 없기 때문에 갈등이 생기는 경우가 많다. 적정한 수준의 경쟁은 성과 달성이나 경영자의 신체 정신적 건강에도 나쁜 것만은 아니다. 그러나 경쟁이 많아지면 나쁜 의미의 스트레스 즉, 디스트레스(distress)를 가져오게 된다. 특히 경쟁 때문에 경영자가 불가피하게 자신의 타고 난 스타일을 바꿔야 하는 경우에 디스트레스가 많아진다. 다음에 나 오는 카렌의 사례는 동료간의 경쟁과 이로 인한 상호 회피 전략이 얼마나 비생산적인가를 보여 주고 있다.

카렌은 직장에서 정말 잘하고 싶었는데, 남자 동료들이 그녀 의 똑똑함에 위기의식을 느끼는 것이 분명했다. 그들은 카렌이 가지고 있는 MBA 학위를 시기했다. 그녀가 그들과 어울려 농 담이나 하고 일도 대충하면 그들은 그녀를 좋아하고 부담 없이 대해 주었다. 그러나 그녀가 열심히 일해 업무 성과가 좋아지고 보스의 관심을 받게 되면 남자 동료들은 다시 비아냥거리기 시 작한다. 결국 그녀는 성공하기보다 평범하기를 선택했지만, 내 면으로는 자신의 그런 모습을 혐오했다. 겉으로는 동료들과 평 화를 찾았지만 그녀 자신의 내면의 평화를 잃었던 것이다.

위 사례는 경쟁적인 동료들에 대응하기 위해 회피 전략을 선택하 는 것이 얼마나 스스로를 손상시키며 언짢은 기분을 초래하는지를 보여 주고 있다. 따라서 인간관계상의 갈등이 있을 때에 회피 전략 보다 더욱 생산적인 전략은 먼저 동료가 위협을 느끼고 있다는 것을 간파하고 그리고 그 이유가 무엇인가를 찾아내는 것이다. 동료들이 위협을 느끼고 있는지를 파악할 수 있는 신호에는 다음과 같은 것들 이 있다.

- 당신이 들어가면 동료가 책상 위의 종이를 덮는다.
- 상사와 회의를 할 때 사사건건 당신의 의견에 반대한다.
- 중요한 파일이나 자료를 당신에게 숨긴다.
- 다른 사람에게 당신을 나쁘게 말한다.
- 당신에게 대화보다는 메모를 사용한다.
- 사무실에서나 직원들끼리의 모임에서 눈에 띄게 당신을 배제시킨다.
- 당신이 들어가면 대화를 갑자기 중단한다.

일단 동료가 당신에게 위협을 받는다는 것을 느꼈다면, 무엇 때문에 상대가 그렇게 느끼는지 그 원인을 찾아내야 한다. 당신의 능력이 너무 뛰어나다고 느끼기 때문인가? 당신이 그들과 경합하는 승진이나 특정 보직을 원하기 때문인가? 상사와 당신의 관계 때문인가? 아니면 당신의 성격이나 리더십 스타일 때문인가? 무엇 때문에 그들이 위협을 느끼는지를 제대로 찾아내야 이를 해결하기 위한 적절한 전략을 찾아낼 수 있다. 생각할 수 있는 전략에는 모두 장단점이 있는데 그 중에서 가장 장점이 많은 방법을 선택해 원인 치료에 들어가야 한다.

경영환경의 변화와 경력 스트레스

기술의 발달에 따른 일하는 방법의 변화, 구경제 체제에서 신경제 체제로의 변화와 국제화 시대로의 전환 등과 같이 환경적, 구조적으로 일어나는 변화가 개인의 일이나 경력에 가져오는 부담을 경력 스트레스(career stress)라고 한다. 리 터번(Lee Turburn)의 사례는 신경제 체제로의 변화가 그에게 어떤 스트레스를 초래하는지를 잘 보여 주고 있다. 인터넷 서비스 공급을 전문으로 하는 플래시넷(Flashnet)사를 창업했던 터번은 신경제 체제에서 부각되는 기술부문으로 한때 큰 성공을 한 기업가였다. 1990년대 중반에 새로운 기술로 시장에서 큰 규모의 벤처자금을 모집한 터번은 성공적으로 기업을 시작했다. 그러나 2000년에 다가온 정보통신 분야 벤처기업의 붕괴를 맞아 터번은 엄청난 스트레스를 겪어야만 했다. 결국 터번은 플래시넷을 정리하고 전혀 새로운 분야에서 다른 사업을 추진할 수밖에 없었다.

〈이코노미스트〉지 최근호는 세계화가 진척되면서 미국 경제에 닥칠 잠재적 어려움에 대한 글을 싣고 있다. 세계화로 근로자들은 회사를 쉽게 옮길 수 있게 되었지만 고용의 안정성은 줄어들었고, 한 조직에 장기적으로 고용되기보다는 단기 고용의 비중이 증대했으며, 가상 조직(virtual organization)이 새로운 조직의 형태로 급격히 증대했다는 내용이다.

미국이 주축이 된 세계화의 심화 속에서 유럽의 국가들도 미국의 노선을 따라가야 할 것인지의 기로에 서 있다. 시인 로버트 프로스트(Robert Frost)의 표현을 빌린다면 '숲 속에 두 갈래의 길이 있는데 나는 남들이 많이 가지 않은 길을 가련다' 와 같은 기로에서 고민하는 처지에 놓여 있다. 생각해 보면 환경과 문화가 다른 유럽의 국가들은 자체적으로 적합한 길을 가야 하는데, 현실을 보면 영국을 비롯한 대부분의 유럽 국가들의 기업이 미국의 경영방식을 너무 많이 따르고 있다. 즉, 아웃소싱의 확대, 조직계층의 축소 그리고 직원이 하는 일을 점점 더 프리랜서나 단기계약으로 외부에 위탁하는 경영방식의 증대 등이다.

이러한 방식을 포괄적으로는 '노동력의 유연화'라고 긍정적인 표현을 사용하지만, 개별 근로자와 그 가족의 입장에서 본다면 전혀 유연하지 않은 경영방식이다. 이제는 근로자가 자기 몫을 잘하기만 하면 장기적으로 안정적 직장이 보장되는, 경영자와 근로자간의 심리적 계약(psychological contract)은 사라져 버렸다. 근로자도 이제는 현재의 직장을 안정적인 것으로 간주하지 않으며 스스로도 점점 단기계약이나 파트타임의 일을 확대하고 있다.

유럽 17개국의 400개 기업 근로자 800만 명을 대상으로 한 조사에서 근로자들의 고용안정은 1980년대 중반을 기준으로 볼 때 1990년대 중반부터 뚜렷이 감소하고 있다.

예를 들어 영국은 70%에서 48%로, 독일은 83%에서 55%로, 프랑스는 64%에서 50%로, 네덜란드는 73%에서 61%로, 벨기에는 60%에서 54%로, 이태리는 62%에서 57%로 감소하였다. 아울러 영국에서 1990년대 말에 파트타임으로 일하는 남성근로자 비율은 1980년대 초에 비해 2배로 증대했다.

'QWL 경영연구소'가 5천 명의 영국 관리자들을 대상으로 실시한 조사에서 경영방식의 변화가 경영자들에게 미치는 영향에는 부정적인 것들도 많다는 것이 밝혀졌다. 아웃소싱이나 비정규직 근로자의 확대 등 '노동력의 유연화' 추세가 확대됨으로써 회사에 대한 충성심은 49% 감소했으며, 사기는 64%, 근무의욕은 53% 그리고 고용안정은 60%씩 감소했다.

조직생활에서 일어나는 여러 가지 요인 중에서 어떤 것이 경영자에게 많은 스트레스를 주는지는 경력의 발전단계에 따라 다르다. 경력의 발전 과정은 3단계로 구분할 수 있는데, 각 단계마다 중요시되는 욕구와 가치를 살펴보면 다음과 같다.

1. 조직에 처음으로 참여한 초창기 구축단계에서 구성원들은 조직이나 상사에게 인정을 받고 안정감을 확보하려는 욕구가 강하다.
2. 성장단계에서는 조직에 자신이 적합한지보다는 조직의 각 업무에 빨리 숙달되고자 한다.
3. 경력의 막바지에 도달하면 현 상태를 유지하려는 욕구가 강해진다.

이와 같이 경력의 각 단계에 따라서 스트레스 요인이 다르며, 개인의 건강과 웰빙에 대한 시사점도 다르다. 경력 초기에는 상사와의 좋은 관계를 유지하는 것이 주된 관심사이며, 경력의 성장단계에서는 승진을 위한 욕구를 충족해 가는 과정에서 위협을 느끼는 동료들과의 인간관계 악화로 스트레스를 받을 수 있다. 아울러 성장단계에서 일에 몰두하다 보면 성장기에 있는 자녀들과 가족에 대한 역할을 제대로 하지 못하게 되는 것 또한 스트레스 요인 중 하나이다.

조직 문화

조직문화는 기업의 성공을 위해서는 재무적 안정만큼이나 중요한 사항이다. 조직문화의 중요성은 특히 다른 기업을 인수했거나 합병했을 때 더욱 두드러진다. 어떤 조직이든 건강한 조직문화를 확립하고 유지하기 위해서는 경영자와 관리자 그리고 직원들의 참여가 매우 필요하다. 미국 텍사스에 위치한 한 은행은 최고 경영자의 독선적이고, 일방적인 경영스타일 때문에 '목표설정' 기법이나 '목표에 의한 경영기법' 도입에 중대한 문제가 있었다. 동일한 경영기법이 다른 기업에서는 크게 성공하는 현실에 비추어 볼 때, 리더십과 조직문화의 차이가 그 원인이라는 것을 쉽게 알 수 있다.

조직문화를 잘 관리해야 할 필요성은 기업의 인수나 합병 시에는 더욱 커진다. 래리 셰인(Larry Schein) 교수는 기업의 인수, 합병 시에 경영자가 받는 스트레스나 업무 과부하를 극복하기 위해서는 각자 나름의 '스트레스 대처기법'을 실천할 필요가 있다고 강조한다. 에드거 셰인(Edgar Schein) 교수는 경영자의 스타일이 조직에 가져오는 영향을 연구한 바가 있다. 경영자의 스타일은 특정 조직에 한정되지 않고 다른 조직에도 이전되는 경향이 있다. 셰인에 의하면 플래시넷의 '리 터번'과 같은 벤처 기업가, 사우스웨스트 항공사의 '허브 켈러허'와 같은 창업자, '존 록펠러'와 같은 가족 기업의 경영자들은 각자 나름의 경영 스타일이 있는데 이 스타일은 조직 내부에서 승진하여 CEO가 된 경영자들의 스타일과는 차이가 있다고 하였다. 경영 스타일의 바탕이 되는 가치관이 〈표 4.1〉에 나와 있다.

경영자들은 사실 사업적 문제 못지않게 개인적인 혹은 인간관계에서 오는 감정적인 문제로 괴로움을 겪는다. 인간으로서 피할 수 없는 이러한 문제들에 대하여 그들은 사업에서만큼 유능하게 대처하지 못하는 경우가 많다. 금세기 최고의 투자자로 성공한 워렌 버핏도 투자에는 그토록 천재였지만 아내에게는 너무 무심하여, 결국 아내는 별거를 선언하며 서부로 이사를 가버렸다.

셰인의 관찰은 경제적 성공을 위해 전력투구하는 경영자들을 외로운 영웅의 모습으로 그리고 있는 동시에, 자신의 그런 감정을 터놓고 말할 수 있는 비슷한 지위의 다른 사람이 주변에 없기 때문에 겪게 되는 고립의 문제를 나타내 주고 있다.

그렇다고 해서 모든 경영자들이 감정적으로 고립되어 있고, 인간으로서 문제 있는 사람이라고 결론을 내리는 것은 위험하다. 경영자 중에는 경제적 성공뿐만 아니라 자신의 가정은 물론 회사 종업원들의 인간적인 면의 성공을 위하여 균형적인 삶을 영위하는 사람들도 많이 있기 때문이다. 예를 들면 고든 포워드(Gordon Forward)는 세계 12위의 철강 경영인으로 알려져 있는 성공한 경영인인 동시에 회사 직원들의 인간적 욕구를 잘 충족시켜 주는 사람으로도 널리 알려져 있다.

가정/직장의 역할 갈등

버크(Burke) 교수는 경영자가 직장에서 해야 하는 역할과 가정에서의 역할이 영역은 다르지만 결국 한 사람이 수행하는 역할이므로

〔표 4.1〕 경영 스타일에 영향을 주는 가치관

재무적 초점

- 경영자는 투자자와 사회에 대한 경제적 수익의 환원을 위해 조직의 재무적 생존과 성공에 치중해야 함
- 경쟁자를 이기는 척도는 재무적 성공이 가장 중요함

외로운 영웅

- 경영환경은 본질적으로 경쟁적이고 적대적이므로, CEO는 외로운 전사처럼 조직의 모든 부분을 알고 직접 통제해야 하며, 자신은 조직에 없어서는 안 될 존재로 생각해야 함
- 경영자는 부하들로부터 올라온 자료는 믿을 수 없으며, 자신의 판단만을 믿어야 함

계층적, 개인 중심의 조직관

- 조직과 경영은 본질적으로 계층적이며 직위는 사회적 지위와 성공을 나타내는 척도이고, 직위가 통솔력을 발휘할 수 있는 주된 힘의 원천임
- 조직은 팀으로 움직여야 하지만, 책임은 개인적으로 물을 수밖에 없음
- 경영상의 위험이나 실험을 감행하는 경우에도 어디까지나 경영자의 지위에 위협이나 변화를 초래하지 않는 범위여야 함

과업과 통제 중심의 생각

- 조직은 점차 규모가 커지고 탈개인화되므로 규정과 시스템 그리고 정형화된 절차에 의해 관리되어야 함
- 경영자가 조직의 상층부로 올라감으로써 인간관계와 공동체에서 느꼈던 인간적 교류의 가치는 없어지게 됨
- 직장의 매력은 도전과 승진에 의한 권한과 성취감에 있으며, 인간관계 추구에 있지 않음
- 이상적인 세상은 조직이 기름이 잘 쳐진 기계처럼 고장 없이 잘 돌아가는 상태라고 할 수 있음
- 잘 기름쳐진 조직은 인간이 필요하다기보다 계약에 의한 활동만이 필요
- 사람은 내재적으로 가치 있는 존재이기보다 필요악의 존재임

서로 밀접한 영향을 미치고 있다고 강조한다. 직장에서의 역할과 개인 생활에서의 역할은 가정과 가족의 요구와 갈등에 의해 좌우된다.

가정과 직장에서의 역할을 충실하게 한다는 것은 모든 경영자나 관리자에게 부담스러운 일이다. 그 중에서 근무지를 이동해야 하는 경우 특히 해외나 가족과 멀리 떨어진 곳으로 전근하는 경우에는 가족에 대한 역할을 제대로 수행할 수 없기 때문에 경영자에게는 중대한 애로사항이 된다.

경영환경이 변하고 특히 노동시장이 유연하게 바뀌는 오늘날 한 조직에서 계속 근무를 하기 위해서는 회사가 원하는 대로 근무지를 이동해야 할 상황이 더욱 늘어난다. 영국의 관리자들은 직장생활 중 평균 10번에서 12번에 걸쳐 근무장소를 변경한다. 이것은 가족이 이사를 해야 하거나 또는 가족과 떨어져서 상당기간 생활해야 한다는 것을 의미한다.

가족과 떨어져야 하는 상황에 잘 적응하거나 심지어 더 즐기는 사람도 있기는 하지만 대부분의 경영자에게 이것은 대단히 스트레스 쌓이는 일이다. 이런 상황은 경영자 개인이나 가족, 회사뿐만 아니라 거주하고 있는 지역 사회와도 긴밀한 유대관계가 형성되지 못하기 때문에 모두에게 좋지 않은 결과를 가져온다.

마셜(Marshal) 교수팀의 연구에 의하면 관리자와 경영자들이 근무지 이동 때문에 겪는 스트레스와 부담의 정도는 삶의 단계에 따라 다르다. 직장생활을 처음 시작하는 젊은 미혼의 근로자는 새로운 도시의 새 직장에서 혼자 적응해야 하는 경우가 많다. 그들은 가족이나 친구 또는 파트너의 도움을 받지 않고 전혀 새로운 생활 패턴을 따라가야 하기 때문에 많은 스트레스를 받게 된다. 그러나 결혼을 한 젊은 부부는 서로가 의지가 되어 어려움을 조금은 적게 느낄 수 있다. 하지만 맞벌이를 하면서 배우자 중 한 명이 근무지를 이동해야 되는 상황이 되면 어려움이 많아진다.

이때 어린 자녀가 있으면 또 다른 애로 요인이 된다. 어린아이는 근무지 이동시에 우선 안전이 염려되며, 학교에 다니는 어린이는 새로운 환경에서 친구를 사귀어야 하고 학교에 적응해야 하는 스트레스를 가지게 된다. 맞벌이가 아닌 부부의 경우 새로운 도시에서 집을 지키는 배우자는 직장생활과 같은 생활 리듬을 유지시키는 환경이 없으며, 사회적 네트워크도 없기 때문에 초기에는 외로움과 불행을 느끼기 쉽다.

게스트(Guest) 교수팀의 연구에 의하면 경영자가 외국으로 전근을 하게 된 경우, 근무 만족도는 배우자가 얼마나 현지에서 잘 적응하는지에 많은 영향을 받는다.

근무지를 변경하는 것이 스트레스를 쌓이게 하는 것은 사실이지만, 회사에서 근무지 이동을 요청하는 경우에 이를 거절하는 것도 스트레스를 초래하는 요인이 될 수 있다. 예를 들어 회사 요청을 거절하는 경우 거절 자체가 향후 자신의 경력에 부정적 영향을 미치지 않을까, 신상에 악영향은 없을까를 고민해야 하기 때문이다. 이러한 상황은 특히 여성 관리자가 가족에 대한 역할 때문에 회사의 전근 요청을 수락하기 곤란한 경우에 발생하기 쉬운 딜레마이다.

출장 등 직장의 과다한 역할에 대한 대응방안

경영자들이 직장에서 느끼는 애로사항들은 어쩔 수 없는 경우도 있지만 본인이 그런 상황을 스스로 만들어 내는 경우도 있다. 경영자들이 수많은 일 중에 우선순위를 잘 부여하거나, 한참 일에 집중하는 시간에 다른 사람의 예상치 못한 방문으로 일의 진행에 방해를 받는 등의 상황을 미리 방지하거나, 까다로운 상사나 동료와의 인간관계에서 보다 지혜롭게 관리하는 기법을 습득한다면, 같은 업무 환경에서도 업무과다로 인한 부담을 덜 느끼며, 가정과 직장에서의 균형도 보다 잘 유지할 수 있다. 직장에서 부딪치는 수많은 역할 갈등들을 해소할 수 있는 방안을 살펴보자.

일의 우선순위를 부여하고 상한선을 설정하라

모든 일에 있어서 우선순위 관념을 갖는 것은 스트레스를 덜 느끼고 직장과 가정에서 필요한 역할의 균형을 유지하는 데 중요하다. 오티스 엔지니어링의 CEO를 지낸 퍼비스(Purvis)는 우선순위 개념을 확실하게 실천해 삶의 건강한 균형을 유지한 사람이다. 비록 회사의 일이 그에게 대단히 중요한 사항이긴 했지만, 가족이나 신앙생활도 그의 삶에서 회사 일 못지않게 높은 우선순위를 가졌다. 물론 경영자 개인마다 우선순위는 다르겠지만 중요한 것은 각자 자신의 삶에서 우선순위가 무엇인지 분명히 알고 있어야 한다는 것이다.

여유시간이 별로 없이 바쁘게 생활해야 하는 경영자는 주어진 시간을 효과적으로 사용하기 위해서 다양한 활동들에 우선순위를 매겨야 한다. 그러나 우선순위를 매기는 작업을 위해서는 먼저 지난 1~2주 동안 당신이 어떤 활동들에 시간을 쓰고 있는지 자세히 기록해 보는 것이 중요하다.

사용하는 시간을 매 15분 단위로 세분해 각 15분 동안에 무슨 활동을 했는지 메모하고, 또 시간 단위로 묶어 매 시간마다 무슨 활동을 했는지 다시 메모해 둔다. 이어서 하루의 활동이 끝나면 각 활동의 종류별로 얼마의 시간을 사용했는지 요약해 둔다. 끝으로 1주일이 지나면 메모 내용을 다시 정리해서 어떤 카테고리의 활동에 각 얼마의 시간을 또는 몇 퍼센트의 시간을 투자했는지 정리해 본다.

• 시간을 낭비하고 있지는 않았는가

지난 1~2주간에 사용한 시간을 꼼꼼하게 메모해 보는 실험이 귀찮은 만큼 가치 있는 작업일까 하고 의문을 가질 수 있다. 그러나 이 작업은 당신이 시간을 낭비하고 있는지 아닌지, 또는 어디에 낭비를 하고 있는지를 보여 주며, 어떤 사항을 다른 사람에게 위임하게 할 것인가 등도 보여 주어 결국 당신의 귀한 시간을 보다 잘 관리하는 데 상당한 힌트를 제공한다.

더구나 이 분석 작업을 통해 당신의 일이 너무 과다하다는 것이 밝혀지면, 이 시간 분석자료를 회사의 업무개선 건의사항으로 사용할 수 있다. 또한 업무과다 상황이나 작업의 우선순위에 대한 논의를 위해 회사의 관계자들과 정기적인 미팅을 하는 것도 도움이 된다. 특히 업무과다 상황이 다른 사람의 요구 때문에 발생하는 경우에는 관계자들의 추가적인 지원을 받거나 또는 업무를 분산시키도록 설득하는 것이 좋다.

• 거절하기

업무과다는 다른 사람의 요청을 거절할 수 없거나 또는 다른 사람에게 위임시키지 못해서 생기기도 한다. 다른 사람을 배려한다거나, 또는 자신의 입장만을 주장하면 상대방이 자신을 이기적으로 생각하지는 않을까 하는 고민은 어린 시절부터 받아온 문화적 가르침 때문이다. 부모나 선생님들은 말 안 듣는 어린이보다 순종하는 어린이를 더 칭찬하며 우리를 양육해 왔다.

만약 당신이 다른 사람의 요청을 거절하지 못해 너무 많은 일을 해야 한다면 엄청난 스트레스 속에 고생하게 된다. 따라서 상대방의 요구를 적절하게 거절할 수 있어야 자신이 견딜 수 있다.

타인의 간섭 예방하기

일상적으로 우리를 괴롭히는 대표적인 두 가지 간섭은 근무 중에 걸려오는 전화나 예고 없이 찾아오는 방문객이다.

경영자는 다음의 방법들을 활용해 근무 중 전화로 낭비하는 시간을 최소화할 수 있다.

• 전화를 할 시간을 정해 한꺼번에 처리하라.
• 해야 할 말과 알아야 할 것을 통화 전에 미리 생각하라.

- 복잡한 정보교환에는 이메일이나 팩스 등 다른 문자화된 방법을 사용하라.
- 비서나 도우미를 활용해 전화의 중요도와 완급을 조절하도록 하라.

미국의 한 보험회사는 '전화 없는 시간'을 정하고, 그 시간에 걸려오는 모든 전화는 자동응답 시스템이 처리하도록 했다. 이로써 연간 23%의 생산성 증가를 가져왔다.

근무장소에 예고 없이 찾아오는 방문객으로 인해 일이 방해받는 것도 경영자를 괴롭히는 사항이다. 경영자가 사람들과 접촉하는 것이 모두 방해가 되는 것은 아니며 어떤 사람의 방문은 기분전환에 도움이 되는 경우도 있다. 그러나 너무 많은 방문객은 시간낭비는 물론 일에 집중을 하지 못하게 하고 짜증나게 만든다.

일반적으로 경영자는 하루에 평균 100번 이상 타인과 접촉하는 것으로 조사되고 있다. 아울러 다른 사람으로 인한 업무 방해가 더욱 중대하고 있는데, 그것은 직원들이 경영자들을 보다 쉽게 접할 수 있는 경영문화가 권장되기 때문이다.

업무 집중 시간에 타인의 방해를 줄이기 위해서는 다음의 방안들을 활용할 수 있다.

- 다른 사람에 방해받지 않고 일할 수 있는 특정 시간을 미리 정하고, 관계자에게 알린다.
- 방문해도 좋은 시간을 미리 정하고 상대방에게 알린다.

- 사무실이 아닌 장소에서 미팅을 한다(다른 사람이 찾을 수 없도록).
- 밝은 미소로 대화 전후의 여담(small talk)을 생략한다.
- 무심코 들른 사람에게는 자리를 권하지 말라. 이러면 상대방이 오래 머무르는 것을 방지할 수 있다.
- 불시에 방문한 사람에게는 시간이 얼마나 필요할지 묻는다. 그리고 지금 시간을 할애하기가 곤란하다면 별도의 시간을 계획한다.

까다로운 동료에 대응하는 방안

동료 중에는 경영자에게 질책을 받아서 위기감을 느끼거나 또는 성격상의 차이 때문에 서로 편하게 상대하기가 어려운 사람이 있다. 이러한 경우에 상대에 대한 '긍정적 반응(positive response)'이나 또는 자신에 대한 '건설적 자기대화(constructive self-talk)'를 하는 것은 상대방과의 관계를 보다 우호적으로 변화시키는 데 효과적이다. 예를 들면 동료가 회의 때마다 당신을 비난한다면 "저 사람은 왜 저렇게 재수 없게 구는 거야"라고 하기보다 "저 사람이 무엇 때문에 저렇게 행동하지?"라고 의문을 가져보는 것이 긍정적 반응이다.

상대방에게 근거가 있는 긍정적 반응을 보여 주고 자신에게는 건설적 자기대화를 해 보는 것은, 갈등 상황 속에서도 자신의 통제력을 증대시켜서 스트레스 쌓이는 관계를 우호적 관계로 변화하는 계기가 될 수 있다. 반면에 상대방의 부정적 태도에 자신을 정당화시키는 방어적인 자세를 보이거나, 자신도 상대방에게 부정적으로 반응하게 되면 상대방을 더욱 공격적으로 만들게 된다.

직장생활에는 흔히 상호간에 편하게 지내기가 어려운 까다로운 사람을 만날 가능성이 있다. 이러한 까다로운 사람을 상대하기 위한 방안들에는 어떤 것들이 있을까? 현명한 경영자는 상대가 어떤 사람인지에 따라 어떤 전략을 선택할 것인지를 생각해야 한다.

- **실용주의자**: 까다로운 사람이 존재하는 것은 인생에서 어쩔 수 없는 일이라고 받아들이고, 당신의 일을 계속하라.
- **개혁주의자**: 의사결정이 최전선에서 일하는 근로자의 참여로 이루어져야 한다는 점을 강조하고, 믿을 만한 동료에게 당신의 고민을 털어놓으라.
- **연금술사**: 철을 금으로 변화시켜라. 상대방은 구제불능의 사람이다. 나쁜 경험을 할 때마다 좋은 방향으로 이끌고 가도록 당신이 노력하라. 그리고 당신의 상황대응 능력을 증대시켜서 긍정적으로 반응하도록 하라.

까다로운 상사 상대하기

조직에서 다루기 어려운 부하나 동료들을 어떻게 상대할 것인지에 대한 방법이나 그 필요성에 대한 논의는 많이 있지만, 막상 직장생활의 인간관계에서 가장 중요한 위치에 있는 상사와의 관계에 대해서는 대응 방법이 별로 논의되지 않고 있다. 부하의 입장에서 상사와의 관계를 잘 관리하기 위해서는 상사의 성격, 관리 스타일 그리고 상사의 각기 다른 특성에 효과적으로 대응할 수 있는 노하우가 필요하다.

여기에서 우리는 상사의 4가지 타입을 살펴보고자 한다. 만약 당신이 상사에게 영향을 미치고 싶으면 나름대로의 공격과 방어 전략을 수립하기를 권한다.

• **관료형**(*bureaucrat*): 이들은 일반적으로 심각하지 않고 부드러운 성격이며, 의사결정이 느리고 신중한 타입이다. 미국의 국무장관을 지낸 딘 애치슨(Dean Acheson)의 말을 빌면 관료주의자가 어떤 지시를 하려고 메모를 주는 경우에 그 목적은 수신자에게 정보를 주기 위함이 아니라 자신을 보호하기 위함이다. 관료주의자와 함께 일한다면 당신은 항상 메모를 자세히 읽어 보아야 한다.

이러한 상사와 가장 잘 지내기 위해서는 규칙과 규정을 숙지하고 있어야 하며, 제안을 하는 경우에도 이에 충실히 따르면 된다.

• **독재형**(*autocrat*): 이들은 어떤 상황에서든지 일이 어떤 방향으로 진행되어야 할 것인지에 대해 대단히 확고한 관점을 가지고 있다. 이것은 조직의 어떤 규칙에 따르기보다는 상사 개인의 믿음에 의해 형성되는 것이다. 그들은 다른 사람의 말을 경청하지 않으며, 자신의 지시나 방침이 도전받는 것을 싫어한다. 그들은 흔히 냉정하게 화를 내며 상대를 용서해 주지 않는다. 이러한 상사에게 잘 대응하기 위해서는 순응적이고 개인적인 존경심을 표현하는 것이 현명

하다. 독재주의자에게 맞서는 것은 어렵고 현명하지 못한 일이다.

• *자율형(wheeler-dealer)*: 이들은 근무시간의 많은 부분을 다른 부서와 협상을 하고 자원을 확보하는 일에 보낸다. 자기 부서의 직원들에게는 자세히 지시를 하기보다 스스로 굴러 가도록 자율성을 부여한다. 그러나 직원들의 자발적 제안은 잘 지원해 주며, 성과가 낮은 사람은 무시한다. 이러한 상사가 있는 부서는 조직이 활기 있는 반면에 어느 정도의 혼란스러움도 병존한다.

이러한 상사 밑에서는 부하가 스스로 주도적으로 일을 하고, 의사결정도 주도적으로 하며, 과제 완수에 치중하되, 다만 일의 진행 상황을 상사가 알 수 있도록 중간보고를 하라.

• *소극형(reluctant manager)*: 이들은 전문지식은 많은데, 일반적으로 직원들이 스스로 움직이도록 놔두며, 아울러 직원들을 격려하지도 않는 상사이다. 만약 기술적 문제가 발생하면, 특히 직원들이 부탁을 해오면 이들은 문제를 잘 해결한다. 반면에 반복적이지 않은 새로운 문제가 발생하면 이들은 의사결정을 잘하지 못한다. 소극적 관리자와 함께 일할 때는 인간관계를 쌓는 데 어려움이 많다.

이러한 상사와 일할 때에는 상사가 선택할 수 있는 여러 가지 대안을 제시하면서, 그 중에 당신이 가장 좋다고 생각하는 방안을 설득력 있게 제안하는 것이 도움이 된다.

4장 정리

1. 경영자의 건강은 과다한 업무량이나 과다한 근무시간 때문에 악화될 수 있다.

2. 소송, 갈등, 불확실성, 책임감 그리고 직설적 성격 등은 경영자에게 스트레스를 야기한다.

3. 업무 특성의 변화는 경영자와 관리자의 스트레스를 일으키는 원인이 된다.

4. 가정과 직장의 애로 특히 근무장소의 이동이나 전근은 경영자의 업무 스트레스를 증대시키는 주요 원인이 되는데, 균형의 유지가 해결의 관건이다.

5. 직장에서의 업무 스트레스를 관리하기 위한 기법에는 일의 우선순위를 정하는 것, 다른 사람의 불시 방문 등 갑작스런 개입을 관리하는 것 그리고 까다로운 상사와 동료에 잘 대응하는 것 등이 있다.

5장

직장생활의 위기와 개인적 비극

이 세상에 두려워해야 할 유일한 것은 두려움 그 자체이다.

— 프랭클린 루스벨트

2001년 9월 11일 오전 8시 45분에 항공기 테러에 의해 미국 무역 센타의 북쪽 빌딩이 붕괴되고, 18분 후에 남쪽 빌딩이 또 다시 붕괴되었다. 당시 남쪽 빌딩에 입주한 회사 중 가장 큰 회사는 모건스탠리였는데, 3,500여 명의 직원이 20여 개층(43~46층, 56층, 59~74층)에 분산되어 사무실을 사용하고 있었다. 전설적인 J. P. 모건 1세가 설립한 이 세계적인 투자회사는 이 국가적인 재난에도 불구하고 사망한 직원은 단지 20명뿐이었고 다친 사람도 50명에 그쳤다. 그 이유는 1993년 세계무역센터 건물에 폭탄테러가 있었을 때 이번과 같은 위기상황을 대비해 위험 분산 계획을 실천하고 있었기 때문이다.

삶의 변천 과정에 대한 대규모 종단적 연구인 '그랜트 스터디(Grant Study)'를 수행한 조지 베일런트(George Vaillant)의 발견에 따르면 사람은 누구나 일생에 한번쯤은 어떤 위기나 비극을 경험하게 된다고 한다. 따라서 어떤 사람이 평생 건강한 삶을 영위하느냐 아니냐는 그러한 위기나 비극을 어떻게 극복하느냐에 달려 있다고 한다.

5장에서는 관리자와 경영자가 단기적 혹은 장기적으로 경험하게 될 수 있는 다양한 유형의 위기나 비극의 문제를 살펴보고자 한다. 길버트(Gilbert)의 연구에 의하면 비극이나 위기는 경영자나 관리자 개인이 혼자서 대응하는 방법보다 주변 사람과 협력할 때 가장 효과적으로 극복할 수 있다. 경영자가 흔히 봉착하는 위협은 크게 두 가지의 카테고리로 구분할 수 있다.

첫 번째는 직업적 위기이다. 여기에는 정치적 사건, 테러, 구조조정, 노사분규 그리고 산업재해 등이 있다.

두 번째는 개인적 비극이다. 사랑하는 사람의 사망, 재정과 물질적 손실, 다른 사람에 대한 비극 그리고 건강의 문제 등이다.

직업적으로나 개인적으로 위기나 비극의 문제를 논의할 때 두 가지의 구분을 염두에 둘 필요가 있다. 하나는 보통의 스트레스와 극심한 스트레스와의 구분이며, 다른 하나는 보통의 경우와 건강하다는 경우의 구분이다. 이 장의 관심은 경영자와 관리자가 겪게 되는 스트레스와 어려움, 또는 보통의 경우가 아닌 예외적으로 심각한 수준의 어려움에 관한 것이다. 사업을 경영한다는 것은 관리자나 경영자에게는 당연히 스트레스 쌓이는 일이며 도전적인 일이다. 그러나 이러한 사업 경영에 통상적으로 예상할 수 있는 수준을 벗어나는 사건이나 상황들이 있다. 2001년의 9.11 테러는 수많은 사망자를 발생시키고 경영자의 건강에 엄청난 충격을 주는 극심한 경우의 사건에 해당한다.

충격적인 사건을 경험한 사람은 평상시의 정상적인 행동이나 습관이 변화할 가능성이 매우 높아진다. 임상적으로나 진단학적으로는 극심한 스트레스 경험으로 야기된 신체 정신상의 변화와 유전적, 체질적 요인에 의한 신체 정신상의 이상을 구분하는 것은 쉽지 않다. 우리의 관심사는 건강하고 정상적이었던 경영자나 관리자가 극심한 스트레스를 경험한 후에 보이는 변화를 살펴보는 데 있다. 이러한 경험이 야기하는 가장 흔한 결과는 경영자와 관리자의 신체적 에너지와 자원을 소진시키는 신체적, 정신적 악영향이다. 건강한 사람의 경우에도 극심한 어려움을 경험하고 나면, 어려움을 완전히 극복한 후에도 가슴에 통증이 남거나 두통, 건망증 등 정서적·감정적인 후유증 때문에 고생하기도 한다.

두 번째 중요한 구분이 정상이라는 것과 건강하다는 것의 구분이다. 한 마디로 정상이라는 것이 건강하다는 것은 아니다. 예를 들면 주식이 폭락하는 경우에 하루에 여러 번씩이나 고함을 지르고, 비명을 지르는 것은 정상적 모습으로 보일 수 있지만 그것은 목의 건강에는 좋지 않다. 정상적이라고 하는 것은 단지 특정한 환경이나 작업 상황 속에서 적절하게 보이는 행동일 뿐이다. 따라서 정상적이라는 것의 평가는 주어진 상황에서 무엇이 가장 건강한 모습인가의 기준에 의거해 이루어져야 한다.

다른 경험과 달리 직업상의 위기나 개인적인 비극을 경험한 경영자는 머리와 가슴, 또는 두뇌와 머리의 인지적인 사고와 가슴의 감정적인 느낌과의 사이에 충분한 통합이 필요하다. 그렇다고 경영자가 위기나 비극을 경험하는 경우, 감정에 따른 결정을 하라고 제안하는 것은 아니다. 오히려 비극이나 위기 시에는 더욱 더 냉철한 의사결정이 필요하다. 다만 가장 냉철하고 합리적인 의사결정이 좋은 결과를 가져오긴 하지만, 중요한 것은 감정적인 면을 배제한 의사결정은 장기적으로 건강상의 문제를 가져올 수 있다는 점이다. 심장 관련 시스템이든 생리적인 시스템이든 건강에는 감정적 요인이 많은 영향을 미치기 때문이다.

직업상의 위기

경영자와 관리자에게 건강이나 심지어 생명을 위태롭게 하는 직업상의 위기(professional crises)에는 적어도 다섯 가지의 카테고리가 있다. 정치적 격동, 테러와 군사적 행동, 구조조정, 노사분규 그리고 산업재해가 그것이다.

경영자와 관리자의 건강은 개인의 문제일 뿐만 아니라 소속한 조직의 건강과도 밀접하게 관련이 되어 있다. 근무 환경이 좋지 않은 상황에서도 관리자와 경영자가 건강을 지킬 수 있지만, 이를 위해서는 외부적인 지원이 있어야 된다.

경영자와 관리자 그리고 가족들은 직장과 가정에서의 상호 파급효과를 고려해야 한다. 일부 관리자와 경영자들은 가정과 직장, 기타 영역에서의 활동을 각각 분리된 것으로 생각하고, 각각의 역할에

한정시켜 생각하려는 경향이 있다. 그러나 가정과 직장에서의 역할
은 상호간에 끊고 맺기가 불가능하고 서로 영향을 미칠 수밖에 없
다. 이것은 한 곳의 역할에 대한 위험이나 활동상태는 다른 곳에도
영향을 미친다는 것이다. 즉, 직장에서나 가정 어느 한 곳에서의 어
려움은 다른 곳에 영향을 주게 된다. 5장의 주된 관심은 직장에서의
위기가 가정이나 가족 관계에 미치는 영향과, 역으로 개인적 어려움
이 직장이나 직업 생활에 미치는 파급효과를 살펴보는 데 있다.

정치적 격변

국내는 물론 국제적인 정치 상황은 경영 환경에 많은 영향을 미
친다. 이것은 기업의 운명은 물론 경영자 개인의 건강을 위험하게
하거나 심리적으로 좌절하게 만든다. GE의 잭 웰치는 2001년에 하
니웰(Honeywell) 인수 계획을 추진한 적이 있지만, 미국 정부가 아
니라 바로 유럽 의회에서 반대를 하는 바람에 이 계획을 포기할 수
밖에 없었다. 정부 기관과 기업들의 관계는 미국의 경우와 유럽의
경우가 판이하게 다르며, 이러한 차이는 저개발국이나 개발도상국
의 경우에는 더욱 심각하다.

1970년대 말 이란의 정권 교체와 정치적 불안은 두 사람의 미국
인 경영자를 큰 위험에 처하게 했다. 1975년에 EDS(Electronic Data
Systems)사는 이란 정부의 보건복지부가 건강보험과 사회보장 분야
에 경험이 있는 정보처리회사를 찾고 있다는 정보를 입수하고 이란
정부에 사업 제안을 해 1976년에 성공적으로 계약을 체결했다. 폴

치아패론(Paul Chiapparone)이 EDS 이란지사의 사장으로 부임했는데, 이후 1978년에 발생한 이란의 정치적 상황은 기업과 경영자에게 엄청난 변화를 가져오게 된다. 아야톨라 호메이니가 이란의 팔레비 왕조를 무너뜨리는 등 정치적 불안은 극에 달했다. 1979년 11월에는 미 대사관을 점령하고 52명의 미국인을 1년이 넘도록 인질로 잡는 사건이 발생했다. 이 인질 사건은 이후 카터 정부의 계속되는 구조작전의 실패로 이어지면서 미국 국내 정치에까지 심각한 상처를 안겨주었다.

이러한 상황에서 치아패론 EDS 사장과 부사장 빌 게이로드(Bill Gaylord)는 생명의 위협을 받게 되었다. 이들은 1979년 12월에 체포되어 여권을 빼앗기고 이란정부에 의해 수감되었다. 미국 대사관에서 많은 구조 노력을 했지만 이란의 정치적 불안정으로 미국의 노력이 별 효과를 보지 못했다. 카터 대통령은 이 문제를 해결하기 위해 한 공군장군을 비밀리에 이란에 급파했지만, 역시 성공하지 못했다.

미국의 EDS 회장인 로스 페로(Ross Perot)는 이 문제를 자신이 직접 해결하기로 마음먹고 예비역 대령, 사이먼즈(Simons)를 파견했고 결국 사이먼즈는 두 명의 경영자들을 터키 국경으로 탈출시키는데 성공했다. 이러한 과거사를 감안할 때, EDS가 GM으로부터 분리되는 시점인 1996년에도 EDS가 치아패론의 개인경호를 위해 연간 25만 달러를 지출하고 있었다는 것이 전혀 놀라운 일이 아니다.

베트남에서 일어났던 정치적 격변도 당시에 미국 정부의 고위 공직자들에게 엄청난 어려움을 안겨주었다. 당시 미 국방장관이던 맥나마라(McNamara)가 겪은 위협은 치아패론이나 게이로드의 경우처럼 개인적이거나 직접적이지는 않았다. 여기서 관심을 두어야 할 부분은 맥나마라의 성격이 주어진 상황에서 어떠한 결과를 가져왔는가이다. 맥나마라는 차가운 성격이며, 감정이 없는 계산된 지성인이라고 알려진 사람이다. 그는 성격적으로 스트레스를 많이 받거나 나아가 건강상의 문제가 쉽게 발생할 수 있는 상황에 놓여 있었다. 그러나 그는 건강을 유지한 반면에 오히려 부인이 남편 때문에 건강이 나빠졌다. 이것은 직장에서 경영자가 겪는 어려움이 가정으로 파급되어 가족이 대신 스트레스를 받게 되는 것을 보여 주는 좋은 사례이다. 파급 효과(cross-over effects)는 직장에서 스트레스 속에 있는 사람이 자신은 '디스트레스'를 별로 겪지 않는 반면에 그 배우자나 다른 가족이 이를 경험하는 것을 말한다. 맥나마라의 경우, 그는 건강을 지킨 반면에 당연히 그의 것이어야 할 위궤양을 그의 부인이 대신 앓았다.

베트남 전쟁 때문에 미국과 수많은 나라의 사람들이 고통을 받았는데, 당시 국방장관이던 맥나마라는 철저하게 사무적인 냉정함을 잃지 않은 것으로 유명하다. 심지어 베트남 전투에서 희생자를 애도하는 자리에서도 논리적이고 감정이 배제된 목소리로 발표를 했다. 분명히 베트남 전쟁은 미국 정부나 군인과 국민들에게 큰 비극이었음에도 불구하고 맥나마라의 냉정한 목소리 즉, 자신을 철저히 통제하는 태도를 보고서는 베트남 전쟁이 비극이라는 것을 느끼기가 어려울 정도였다. 그러나 비록 그가 당시에는 감정적 슬픔과 어려움을 그의 배우자에게 전가시키고 자신은 고통을 비켜간 듯 했지만 전쟁이 끝난 20년 후에는 베트남 전쟁의 상처에 대한 영적인 재검진을 받아야 했다.

인간의 감정은 시간이 흐른다고 해서 모든 것이 소멸하는 것은 아니다. 해소되지 않거나 정리되지 않고 잠복된 감정은 수십 년이 지난 후에도 인생의 사이클에서 되살아나게 된다. 그러므로 살면서 발생하는 느낌이나 감정은 발생할 때마다 개인적으로 직접 맞닥뜨리고 해결하는 것이 효과적인 대응 방법이라고 할 수 있다.

테러

2001년 9월 11일 일어난 세계무역센터의 테러는 세계인들에게 엄청난 충격이었다. 그러나 이것은 이미 경고 신호가 있었다고 볼 수 있다. 8년 전에 두 개의 건물 중 1개에서 이미 폭탄 테러가 있었으며, 모건 스탠리는 이 사건을 미래를 대비하는 학습의 기회로 활용했다. 이때부터 미리 테러에 대비한 조치들 때문에 막상 9.11 테러 때에는 수천 명에 달하는 경영자, 관리자 및 직원들의 생명을 구할 수 있었다. 민간인 신분의 이들 경영자와 관리자 및 직원들의 대다수는 자신들이 무장 단체의 테러 대상이 되리라고는 상상도 하지 못하고 있었다.

저개발 국가에서 일하는 경영자들은 테러의 위협에 더욱 많이 노출되어 있다. 따라서 이에 대한 신변보호와 방어전략을 더욱 더 철저히 수립하고 실천해야 한다. 예를 들어 케냐의 나이로비에 근무하는 경영자는 한 대의 승용차만으로는 밤에 절대 공항에 나가지 않으며, 2~3대의 차량을 동행시킨다. 집이나 사무실 등은 24시간 무장경

호를 시키기도 하며, 위험도를 진단하고 이에 따른 대비책을 수시로 조정한다. 이것은 저개발국에서 활동하는 경영자들을 보호하기 위한 필요한 조치이다.

산업 구조조정

그동안 있었던 산업 구조조정과 인원감축은 경영자와 관리자들에게 많은 영향을 미쳤다. 미국의 경우 1980년대 중반에 시작된 이러한 현상은 지금까지도 계속되고 있다. 흔히 기업 경영에서 인원감축이라고 할 때는 근로자의 5% 이상을 줄이는 경우를 지칭한다. 80년대에 비해 현 시점에는 대규모 인원감축은 많지 않으나 특정 산업 부문에서의 선별적 인원감축의 필요성은 과거보다 더 많은 것이 사실이다. 대처 수상이 경제운영의 미국화를 추진한 이래 영국에서 구조조정은 보편적 현상이 되었다.

노사분규

역사적으로 볼 때 경영자와 노동자와의 관계는 수시로 갈등관계에 접어들어 경영자, 관리자 및 근로자 모두를 위험한 상황에 놓이게 했다. 1920년대와 1930년대의 대립적 노사관계 시기에 미국 철강산업의 경영자와 관리자들은 근로자들로부터 자신을 방어하기 위해 심지어 32구경 권총까지 사용했다. 비단 철강산업뿐만 아니라 다른 산업에서도 경영자와 관리자들은 때때로 직장에서 무기를 소지

했으며, 일터는 자칫하면 폭력적 충돌을 가져올 수 있는 위험한 장소였다. 다행스러운 것은 이러한 무력적 충돌의 시기는 미국 노사관계의 역사상 보편적인 특징이었다기보다는 일시적으로 있었던 예외적 현상이었다는 점이다.

록펠러 2세는 1913년, 콜로라도 광산회사에서 발생한 노사분규로 큰 위기를 겪었다. 오늘날 '루드로우 학살(Ludlow massacre)'이라고 알려진 그 사건에 록펠러가문이 연루된 것은 1902년 록펠러 1세가 그 광산회사의 지분 40%를 사들이면서부터이다. 록펠러는 노조를 극도로 싫어한 인물이었는데 광산회사에서는 안전과 임금, 주거문제 등을 이유로 근로자들이 불만을 제기하면서 1913년 극한 대립상태에 이르게 되었다. 그 해 한 해 동안에만 400여 명의 광부들이 광산 사고로 죽었을 정도로 환경이 열악한 상태였으나 관리자 측은 적절한 태도로 임하지 못하였고 이에 분노한 1만4천 명의 광부 중 1만1천 명이 그 해 9월까지 파업을 하였다. 노동자와 경영자 측은 기관총까지 동원하여 서로 대치를 계속하였으며, 마침내는 콜로라도 주지사가 이 문제를 해결하기 위하여 주 방위군을 투입하게 되었다. 불행하게도 첫 총성 한발에 텐트가 불타고 12명이 넘는 여자와 어린이가 사망하였다. 이후 기관총 사격이 이어지면서 사태는 '학살'로 이어지게 된 것이다.

드디어 윌슨 대통령이 연방 군인을 현지에 투입하였고, 이들은 1914년 말까지 콜로라도에 머물렀다. 이 사건으로 인해 록펠러 2세는 미 의회에 증인으로 출석해야 했다. 이 역사적 경험은 록펠러 2세가 이후 노사관계를 새롭게 보는 계기가 되었다. 그 사건 이전에도 그는 손상된 가문의 명예를 회복하기 위하여 록펠러 재단의 설립을 통한 자선활동에 심혈을 기울였으나, 1913년 이후로는 재단 내에 특별히 '노사관계부서'를 설치하여 노사관계를 연구 발전시키고, 노동자에 대한 자신의 태도를 변화시키는 데 활용하였다. 노동조합 활동에 대한 그의 변화된 태도는 여러 곳에 나타나는데, 1920년에 노동조합에 적대적인 태도를 버리지 않는 U.S 스틸(U.S Steel)의 주식을 모두 처분해 버린 것이 대표적인 예이다.

오늘날에도 발생하고 있는 작업장에서의 폭력은 반드시 노사문제라고 분류하기는 어렵다. 연구자료에 의하면 작업장의 폭력은 대부분의 경우 스트레스에서 비롯되고, 미국의 경우 85~90%는 예방할 수 있는 상황이라고 한다.

노동조합과 경영자 측은 본질적으로 추구하는 목적이 다르고 경쟁적인 면을 내포하고 있지만, 아울러 록펠러가 경험했던 것과 같은 위기를 겪지 않기 위해서는 상호 협력이 필요하다. 이 협력은 상호 의존적인 관계라는 점을 인식하고 서로 존중하며 개방적 커뮤니케이션과 협상에 의해 달성이 가능하다.

이러한 사례는 록펠러의 콜로라도 광산 노사분규의 사례에서뿐만 아니라 크라이슬러 자동차의 위기상황을 극복하기 위해 아이아코카 사장이 노동조합 간부를 이사회에 참여시켜 경영을 정상화시킨 경험에서도 입증이 된다. 상호 관계를 강화하고 갈등 상황에 협상으로 해결하려는 노력은 모든 당사자들의 긴장과 스트레스, 그리고 위험을 완화시켜 준다.

산업재해

산업재해는 경영자와 관리자 그리고 근로자를 위협하는 직업상의 위기 중 다섯 번째 카테고리이다. 산업재해는 생명을 잃을 수 있는 위험성을 내포하고 있다. 많은 종류의 산업이나 생산 작업은 작업복이나 보호장비 등을 착용해야 할 필요가 있다. 중장비의 운용이나 이동하면서 작업하는 과정 등은 산업재해 발생의 위험이 특히 높다. 이러한 종류의 일은 해당 근로자에게도 각별한 주의가 필요하지만, 이러한 작업환경에 익숙하지 않은 경영자와 관리자에게도 산재사고가 발생할 위험성이 높다. 안전규칙과 작업절차를 엄격하게 준수하지 않는 관리자는 결국 자신의 안전을 위험하게 만든다.

작업장의 사고로 인한 직접적이고 물리적인 위험만이 경영자와 관리자를 위협하는 것은 아니다. 역사상 가장 치명적인 산업재해는 약 2만5천 명의 사망자를 가져온 1984년 유니온 카바이드사의 인도 보팔 공장 사고이다. 보팔 사고가 있기 전까지는 텍사스에서 질산암모니아를 실은 차량의 폭발에 의해 500명이 사망한 사고가 가장 큰 산업재해로 기록되고 있다. 보팔 사고에 대해 인도 정부는 '산업재해(industrial accident)' 라고 명명했지만 유니온 카바이드사는 '사고(incident)' 라고 하고, 피해자들은 '재난(disaster)' 으로 그리고 사회운동가들은 '비극(tragedy)' 이나 '학살(massacre)' 이라고 불렀다. 이와 같은 이해관계자들의 다양한 시각은 이미 발생한 상황을 해결하는 과정을 더욱 어렵게 했다.

조금 덜 과격한 형태로 나타나는 직업상의 위기는 경제나 기업의 붕괴 시기에 나타난다. 비근한 예가 2001년 가을에 시작된 엔론사의 붕괴이다. 이 회사는 포춘 500대 기업 중 한때 7위까지 올랐으나 그후 급격히 몰락했다. 10억 달러의 자본 감축으로 시작된 몰락의 과정은 그 후 회계부정으로 이어지고 결국 법원에 의한 파산결정이 내려졌다. 이로 말미암아 엔론의 고위 경영자였던 클리포드 백스터는 2001년에 회계부정에 대한 조사를 받고 사임한 지 1년이 채 안 되어 자살했다.

개인적 비극

가족이나 친구의 사망, 재정적 문제나 건강의 악화 등은 경영자와 관리자들에게 닥칠 수 있는 개인적 비극이다. 모든 경영자와 관리자들은 이 개인적 비극에 대한 대비책을 어떻게 수립해 두었든지 상관없이 이러한 비극과 어려움에 처할 위험성을 항상 가지고 있다.

'존 웨인 신화'는 강한 남자는 그러한 위험에 빠지지 않는다고 하지만 이 편견은 환상이며 틀린 것이다. ITT의 회장이었던 해롤드 제닌(Harold Geneen)도 이러한 편견을 가지고 있었는데, "만약 내가 충분한 손과 발과 시간을 가지고 있다면, 모든 것을 나 혼자서 하겠다"고 말하곤 했다. 제닌뿐만 아니라 많은 사람들이 그러한 편견을 은연중에 가지고 있다.

흔히 근로자들은 경영자와 관리자 또는 리더들이 강인하고 확실한 안정감을 제공해 주기를 기대하고 있다. 부하들의 이러한 의존욕구 때문에 경영자와 리더들은 개인적인 어려움이 있을 때에도 이를 비밀로 부쳐야 되거나 공개할 수 없는 올가미에 빠지게 된다. 프랭클린 루스벨트 대통령은 강인하고 건강한 대통령의 이미지를 유지하기 위해 자신의 소아마비 장애를 평생 숨겨야만 했었다.

사랑하는 사람의 사망

사랑하는 사람의 사망은 여러 방면에서 경영자의 삶의 균형을 깨뜨리게 만드는 개인적 비극이다. 휴렛패커드의 회장이었던 류 플렛(Lew Platt)에게는 아내의 사망이 자신의 삶에 큰 변화를 초래하는 비극이 되었다. 아내 수잔이 사망했을 때 플렛은 HP의 관리본부장이었는데 그녀의 죽음 이후 9살과 11살의 두 딸을 돌보면서 회사 일을 감당하느라 많은 어려움을 겪었다. 수잔이 생전에는 가정의 모든 일과 가족의 문제를 처리해 주었는데 그 중요성을 그녀의 사후에 새롭게 인식하게 되었다. 이 경험을 바탕으로 그는 회사 내 여성 관리자들이 가정과 회사에서 감당하는 어려움은 여성만의 책임이 아니라는 것을 실감했다.

수잔이 사망한 지 2년 후 플렛은 조앤과 재혼함으로써, 일과 가정에서의 균형을 다시 회복할 수 있었다. 그러나 플렛이 회사 일을 하며 가정을 꾸려가야 했던 2년 동안의 경험은 HP에 근무하는 여성 관리자와 여성 근로자들이 겪는 어려움을 이해하게 만들었고, 이 문제에 대해 회사 차원에서 지원할 필요가 있다는 인식의 변화를 갖게 하였다. 플렛이 HP의 최고 경영자 자리에 오른 1992년 이전까지는

HP의 여직원들이 임원으로 승진하는 경우가 거의 없고 관리자 직급에서 대다수가 퇴직하는 등 여성 근로자들에게 매우 불리한 환경이었다. 그는 HP의 CEO가 되고서 가족 친화적인 정책을 선언하였으며 이로써 회사는 남녀평등의 근무환경으로 크게 변화했다. 이러한 조직문화의 변화 덕분에 중간 관리자였던 브렌다 배쏘는 출산휴가를 마친 후에 마케팅 매니저로 복귀해 일하는 데 아무런 어려움이 없었다.

재정적, 물질적 손실

1980년대에 발생한 미국 텍사스 은행업계의 침체는 수많은 경영자들에게 재정적, 물질적 손실을 초래하였다. 당시 텍사스 주 정부에서도 수천 명의 직원을 감축해야 했고, 주요 은행들 가운데는 프로스트 은행(Frost Bank)만을 제외하고 모두 존립이 위태롭게 되었다. 조세프 그랜트는 당시에 텍사스 어메리칸 은행의 CEO였는데, 그도 엄청난 규모의 재정적, 물질적 손실을 경험했다. 이처럼 매우 힘든 시기에 그랜트 박사는 건강을 지키기 위하여 여러 가지 예방적 차원의 노력을 경주하였다. 그 중 가장 중요한 두 가지 중 하나는 은행이 문을 닫는 마지막 날까지 최고 경영진들이 그의 주변에 남아 그를 도와주었다는 것이다. 또 하나는 개인적인 그리고 직업상의 친구들이 그가 다시 자신의 커리어에 정상복귀할 때까지 그를 재정적으로 지원해주었다는 점이다. 이런 도움에 힘입어 어려운 시기를 잘 넘긴 그는 현재 텍사스 캐피털 뱅커세어즈의 회장으로 일하고 있다.

다른 사람에게 영향을 미치는 개인적 비극

〈워싱턴포스트〉지의 CEO 캐서린 그래함(Katharine Graham)은 그녀의 자서전에서 남편인 필립(Philip)이 신문의 발행인으로 근무하는 동안 회사 때문에 겪었던 고통을 기술하고 있다. 그는 결국 권총자살을 하게 되고, 캐서린이 불가피하게 자신의 아버지가 창업하여 그 동안 남편이 운영하던 신문사의 경영을 이어받는 상황이 되었다. 그러나 캐서린은 비록 어려움을 겪기는 하지만 개인적 비극의 상황을 성장의 기회로 반전시켰다. 수년간에 걸친 경영상의 도전과 극복을 통하여 그녀는 개인적인 강인함과 경영의 성공이라는 유산을 남길 수 있게 되었다. 비극을 통하여 오히려 비극이 없었을 때보다 더욱 성장하고, 자신도 미처 몰랐던 잠재된 능력을 발휘하여 더 크게 성장한 경영자들은 캐서린 이외에도 매우 많이 있다.

건강상의 문제

건강상의 취약점을 가지고 있는 사람이 경제적 어려움을 맞게 되면 문제가 될 수 있다. 이와 같은 상황이 1946년에 프로페셔널 인스트루먼트사(Professional Instruments Corporation)를 창업한 테드 아네슨에게 발생하였다. 그는 1969년에 은행 금리가 높아지고, 대형 고객들이 계약을 취소하는 등 재정적 위기가 발생하자 심각한 우울증을 겪었다. 그는 이때의 어려움을 일시적으로 극복하기는 하였으나, 7년 후에 또다시 회사가 어려움에 빠지자 자살을 기도하였다.

다행히 죽지는 않았지만, 그는 이후 가족과 친구들의 도움과 정신과 치료를 통하여 우울증을 극복할 수 있었다. 그는 회사의 이사 신분을 가지고 있기는 하지만, 세 아들들에게 경영권을 물려주고, 자신은 자살을 방지하는 활동에 대부분의 시간을 투자하고 있다.

테네코(Tenneco)사의 CEO였던 마이크 웰치의 경우는 훨씬 더 비극적이었다. 회사가 어려움에 빠져 있었을 때 뇌종양에 걸렸던 그는 자신의 병을 돌보는 대신 회사의 정상화를 위해 계속 일했다. 그는 인생의 대부분 투쟁에서 승리하였으나 암과의 투쟁에서는 결국 패했다. 이는 마이크의 경우만은 아닐 것이다.

희망의 조짐은 있는가

직업상의 위기와 개인적 비극은 경영자들의 머리 위에 떠다니는 검은 구름이다. 하늘에 떠 있는 모든 구름이 희망의 밝은 조짐을 가진 것은 아니며, 또 그렇게 생각하는 것은 비현실적이다. 검은 구름이 비바람이 되어 내려올 때, 이의 극복을 쉽게 생각할 수 있는 경영자는 아무도 없겠지만, 모든 경영자와 관리자는 이런 일이 닥칠 것에 대비하여 이를 이겨 낼 수 있는 준비를 미리 하고 있어야 한다. 군인이 가장 마지막에 해야 할 일이 전쟁이라면 가장 먼저 해야 하는 일은 전쟁에 대비하는 일이다. 이와 마찬가지로 경영자가 가장 마지막에 봉착하고 싶은 것은 직업상의 위기와 개인적 비극이지만 경영자와 관리자가 가장 먼저 대비해야 할 일들이 또한 이것들이다.

5장 정리

1. 경영자와 관리자는 자신의 경력의 어느 시점에 직업상의 위기
   나 개인적 비극이 올 수 있다는 것을 대비해야 한다.

2. 위기나 비극은 극복될 수 있으며 또한 성장의 기회가 될 수도
   있다.

3. 위기나 비극이 오면 그것을 혼자만의 것으로 생각하지 마라.
   다른 사람들도 그런 것을 많이 경험하고 있다.

4. 어려움을 만났을 때, 주변의 경험 많은 전문가들에게 도움을
   청하라.

5. 당신의 경력이나 회사의 지속적 발전을 위해 먹구름이 내릴
   때를 대비한 계획을 세워두라.

Executive
Health

Part III

건강을 강화하고 삶의 균형 유지하기

Building strength and balance

육체적 건강

나는 비열한 편안함보다는 열정의 삶을 전파하고 싶다.

— 테어도어 루스벨트

유약함과 육체적 허약함은 우리들의 안전에 대한 위협이다.

— 존 F. 케네디

운동할 시간이 없다고 말하는 사람들은 운동을 통해 건강해지면

시간은 저절로 생긴다는 사실을 알아야 한다.

— 조지 쉬한(George Sheehan)

육체적 건강은 경영자의 체력, 에너지 그리고 성과 달성의 밑바탕이다. 2장에서 살펴보았듯이 경영자의 생활방식에 따른 건강관리 상의 부담이나 스트레스는 경영자의 건강에 부정적인 영향을 미치게 된다. 그 중에서도 심장마비는 경영자의 건강에 가장 심각한 위협 요인이다. 아이젠하워 대통령의 심장마비, 제리 전킨스의 갑작스런 죽음 그리고 잭 웰치의 심장질환은 모두 이러한 위험의 심각성을 보여 주는 사례들이다.

건강의 주춧돌 즉, 육체적 건강의 기초를 튼튼하게 하고 잘 보호하기 위해서 경영자는 특히 심장혈관을 건강하게 하는 생활습관에 유의해야 하며, 체력을 증진하고, 적절한 식습관을 준수해야 한다. 육체적 건강을 위해서는 이러한 3가지 핵심 요소 외에도 다양한 전략들을 보완적으로 사용할 수 있다.

미국 대통령 테어도어 루스벨트는 육체의 활력과 신체적 건강이 지성과 성품의 기초가 된다는 것을 잘 알고 이를 실천한 사람이다. 육체적 스태미나 강화와 야외 스포츠 참여는 그의 생활습관의 특징이었다. 열정적인 생활 습관에 대한 그의 신봉은 평생 동안 계속되었다. 따라서 '테디' 루스벨트의 강력한 육체적 에너지와 강인함은 저절로 얻어진 것이 아니라 대단한 노력과 훈련의 결과라고 말할 수 있다. 루스벨트는 어린 시절 감기와 약한 시력 등 병치레가 많은 편이었다. 그러나 그는 이것을 자신의 운명으로 받아들이지 않았다. 오히려 그는 역기 등 과격한 운동에 몰두해 체력과 에너지를 강화시켰다. 대통령이 된 후에도 백악관 내에 테니스 코트를 만들었으며, 평생 과격한 운동과 야외 스포츠를 계속했다.

심장을 건강하게 하는 생활습관

경영자의 건강과 웰빙을 가장 심각하게 위협하는 요인은 심장질환이다. 아이젠하워 대통령이나 GE의 잭 웰치 회장 등 수많은 CEO와 리더들의 사례를 비롯해, 2장에서 살펴본 인구통계학적 자료는 이러한 사실을 잘 보여 주고 있다. 따라서 심장을 건강하게 하는 생활 습관을 준수하는 것은 경영자의 생명을 연장할 수 있는 건강관리의 요체이며 생산적인 삶을 영위하는 것과 직결된다.

심장을 건강하게 하는 생활습관은 자신이 갖고 있는 건강상의 취약점과 위험 요인을 발견하고 이를 잘 관리하며, 성격상의 단점을 잘 다스리는 것도 포함된다.

심장질환의 위험 요인 관리하기

심장마비 등 심장질환을 예방하기 위해서는 다음 3가지의 기본사항을 실행해야 한다.

- 정기적인 검진을 실시해 위험 요인을 찾아내고, 이를 잘 관리해야 한다.
- 심장을 건강하게 하는 생활습관을 유지한다.
- 성격의 취약점을 인식하고, 스트레스를 잘 이겨내야 한다.

심장질환과 직·간접적으로 관련이 있는 것으로는 고혈압, 당뇨, 흡연, 과체중과 비만, 운동부족, 사회적 지원 부족, 적개심이 많은 성격 그리고 Type-A 행동특성 등이다. 이 중에서 고혈압 등 몇 가지는 유전적인 영향이 많다. 건강관리를 위해 노력할 때 유전적 요소를 변경시킬 수는 없지만, 그래도 임상적인 특성을 잘 관리하기만 하면 유전적 요인으로 인한 부정적 영향을 크게 완화시킬 수 있다.

정기적인 의료검진과 위험 요인에 대한 적절한 관리가 위험을 예방하기 위한 최선의 방법이다. 정기적인 검진과 의사의 처방을 잘 따르는 것이 경영자의 건강관리에 가장 기본이 되기 때문이다.

심장을 건강하게 하는 생활습관은 사람이 살아 있는 동안에 활력을 더해 줄 뿐만 아니라 생명 자체를 연장시켜 준다. 유럽심장학회의 특별연구팀은 심장병 및 사망을 불러올 수 있는 원인을 방지하기 위한 생활 습관으로 다음의 4가지 방법을 권고하고 있다.

- 담배를 피우지 마라.
- 술을 마시더라도, 과음하지 말고 알맞게 마셔라.
- 매일 적어도 30분씩은 육체적 운동을 하라.
- 건강한 식습관을 유지하고 체중을 조절하라.

이러한 권장사항의 하나하나는 모두 심장질환의 발생을 줄여 주는 특별한 효과가 있을 뿐만 아니라 전체적인 건강을 증진시키는 데에도 많은 효과를 가져다준다. 각각의 권장사항에 대해서는 이 장의 후반부에서 구체적으로 설명할 것이다.

직무 스트레스

스트레스 – 특히 직무 스트레스 – 는 심장질환과 밀접하게 관계되어있다. 25세에서 40세의 연령층을 대상으로 한 연구에 의하면 심장혈관질환 증세가 있는 사람과 없는 사람의 직무 스트레스 수준을 비교한 자료에서 심장질환이 있는 사람은 91%가 만성적인 직무 스트레스를 겪고 있는 반면에, 건강한 사람은 그 비율이 20%에 불과했다. 또 다른 연구에서는 심장질환이 있는 사람의 경우 심장 팽창 시와 수축 시의 혈압의 변화 정도가 심하며, 특히 심장병으로 사망한 사람의 경우에는 혈압변화가 더욱 심했다.

스트레스를 받았을 때 혈압이 변하는 것에서 볼 수 있듯이 감정적인 요인에 대해 발생하는 신체 정신적인 변화를 반응성(reactivity)이라고 한다. 1987년 베른(Byrne)의 연구에 의하면 사람의 기질과 행동은 '반응성'에 차이를 만들어 내며, 나아가 심장질환의 발생 정도와 관계가 있다. 직무 스트레스를 예방할 수 있는 방안들에 대해서는 7장에서 논의하고 있다.

심장질환을 유발하기 쉬운 행동특성

CEO 등 흔히 성취 지향적이고 업무 부담이 많은 경영자들은 평소에 과다한 직무 스트레스나 자신의 성격이 심장 건강에 미치는 영향에 주의하면서 생활해야 한다. 1910년에 이미 윌리엄 오슬러(William Osler)는 사업상 성공한 경영자들에게는 협심증이 특별히 많다는 사실을 발견했으며, 그 원인은 긴박하게 돌아가는 경영자들의 생활속도에서 비롯된다고 했다. 이보다 1세기나 먼저 심장질환의 메커니즘을 발견한 최초의 사람인 코르비자르(Corvisart)는 "심장질환은 기본적으로 장기의 기능과 그 사람의 감정의 2가지 원인에서 비롯된다"고 한 바 있다. 코르비자르가 말하는 감정은 분노, 광기, 공포, 질투, 실망, 기쁨, 허욕, 탐욕, 야망, 복수 등을 의미한다.

1970년대에 마이어 프리드먼(Meyer Friedman)과 레이 로젠만(Ray Rosenman)은 또 다른 획기적인 연구결과를 발표했다. 그들은 심장질환을 가지고 있는 사람은 성격이 대부분 경쟁적이고, 공격적이며, 성취욕이 많고, 참을성은 적으며, 조급하고, 휴식을 취하지 못하는 특성을 가지고 있다는 것을 확인했다. 이러한 사람들은 평소 대화를 차분하게 하지 못하며, 얼굴근육이 긴장되어 있고, 역할완수에 대한 책임감과 시간의 촉박함을 늘 느끼고 있는 특성이 있다. 이러한 특성을 가지고 있는 사람들에 대해 프리드먼과 로젠만은 'Type-A 행동특성' 이라고 하고, 이와 반대의 행동 특성을 가진 사람은 'Type-B 행동 특성' 이라고 했다. Type-A 행동 특성은 대체적으로 지위가 높은 직무의 사람들에게서 많이 발견된다.

뉴욕에 거주하는 943명의 중산층 백인을 대상으로 Type-A 행동특성을 측정한 연구가 진행되었는데 조사 대상자의 직업은 다음과 같이 크게 5가지 종류로 나뉘었다.

1. 주정부 보건관리 업무의 사무직과 전문직 종사자
2. 정부의 관리직 공무원
3. 노동조합의 간부
4. 주요 사립대학의 교수
5. 대형 은행의 사무직 종사자

조사결과 Type-A 행동특성은 직위의 높고 낮음, 직업의 사회적

침착하게 기다릴 수 있다.	1 2 3 4 5 6 7 8 9 10 11	기다리는 동안 침착하지 못하다.
한번에 하나씩 처리한다.	1 2 3 4 5 6 7 8 9 10 11	한번에 여러 가지를 처리하려 하며, 다음에 무엇을 할까를 생각한다.
천천히 사려깊게 말한다.	1 2 3 4 5 6 7 8 9 10 11	빠르고 힘차게 말한다.
다른 사람의 생각과 상관 없이 자신의 만족을 추구한다.	1 2 3 4 5 6 7 8 9 10 11	좋은 일을 통해 다른 사람으로부터 인정받기를 원하다.
평소에 천천히 행동한다.	1 2 3 4 5 6 7 8 9 10 11	빠르게 행동한다(식사, 걸음걸이 등).
평소에 마음이 여유롭다.	1 2 3 4 5 6 7 8 9 10 11	다른사람이나 자신을 밀어붙인다.
감정을 표출하는 편이다.	1 2 3 4 5 6 7 8 9 10 11	감정을 숨기는 편이다.
취미나 관심거리가 많다.	1 2 3 4 5 6 7 8 9 10 11	직장과 가정 외에 흥미거리가 별로 없다.
야망이 크다.	1 2 3 4 5 6 7 8 9 10 11	야망이 크지 않다.
가벼운 마음으로 일에 임한다.	1 2 3 4 5 6 7 8 9 10 11	시작한 일은 끝을 보아야 만족한다.

채점과 해석

Type B		Type A
10	60	110

점수가 높을수록 Type-A에 가까운 사람으로 분류할 수 있다. 예를 들어 110점은 Type-A에 가까우며, 심장질환의 위험이 가장 높은 성격이다. 여기서 유의할 점은 Type-A 또는 Type-B로 이분법적으로 구분할 수는 없다는 점이다. 모든 사람은 양 극단 사이의 어느 지점에 해당된다. 평균 점수는 60점이다. 따라서 60점 이상의 사람은 Type-A 쪽으로 가까운 사람이며, 60점 이하는 Type-B에 가까운 사람이다.

평판과 소득 수준 그리고 연령에 비해 빠른 승진을 한 경우와 소득 수준이 높은 경우와도 관련이 많다는 것이 밝혀졌다.

1970년대와 1980년대의 연구 결과에서는 TABP(Type-A Behavior Pattern) 즉, Type-A 행동 특성이 심장질환을 야기하는 중요한 위험 요인이라고 주장되었다. 하지만 그 후의 연구들에서는 TABP가 심장질환을 야기한다는 명확한 증거를 찾아내지 못했다. 이 둘의 관계에서 명확한 관계가 나타나지 않은 원인을 찾기 위한 추가적인 연구에서, Type-A 행동 중에 심장질환을 야기하는 세부 요인이 또 다시 존재하지 않느냐 하는 의문을 갖게 되었다. 이러한 연구들의 잠정적 결론에서 뎀브로스키(Dembroski)는 Type-A 특성 중에 심장질환을 일으키는 독성요소를 '적개심' 이라고 처음으로 주장했다.

적개심은 '평소에 사람이나 사건에 대해 나쁜 의도를 가지고 있거나 악의를 가지고 평가하는 성격적 특성' 이라고 할 수 있다. 이것은 다른 사람의 의도를 근거 없이 부정적인 것으로 생각하거나, 상대에게 혐오감이나 멸시를 나타내며, 심지어 공공연한 공격을 하는 것이 특성이다. 뎀브로스키 이후의 연구들에서 심장질환을 야기하는 보다 직접적인 원인은 TABP보다는 적개심이라는 것이 반복적으로 밝혀지고 있다. 참고로 적개심과 심장질환과의 관계에 대한 대부분의 연구들은 남성을 대상으로 이루어졌다. 따라서 여성의 경우에는 다른 결과가 나올 것인지에 대한 정보는 아직 없다. 아울러 심장질환의 심각성 수준에 영향을 미치는 요인은 적개심을 느끼고 마음속으로 간직하고 있기 때문이 아니라 그것을 표출했느냐의 여부에 달려 있다는 이론이 제시되었다.

심장에 유익한 행위

Type-A 행동특성이 건강에 미치는 영향에 대한 연구들의 결과가 모두 일치하는 것은 아니다. 다만 Type-A 행동 특성을 변화시켜보려는 노력을 기울이면 기울일수록 심장병의 재발위험을 줄이는 데는 효과가 있다고 조사되고 있다. 비록 Type-A 행동특성이 성공적이고 일 중심적인 경영자들에게서 많이 볼 수 있는 현상이기는 하지만 Type-B에 성공적인 경영자가 적다고 말할 수는 없다. 대단히 성공적인 전문가들, 예를 들어 업무뿐만 아니라 업무 이외 분야에서도 성공한 사람 중에는 Type-A보다 Type-B의 행동특성을 가진 사람이 많다는 증거들이 있다. 다시 말하면 가장 성공적인 전문 직업인들은 과도하게 일 중심적이거나, 공격적이고 경쟁적이기보다, 오히려 여유가 있고 다른 사람을 끄는 따뜻함이 있는 유형이 많다는 것이다.

프리드먼과 로젠만은 Type-A 행동특성이 과도해지지 않도록 조절할 수 있는 전략들을 제시했다. 이러한 전략에는 조급증을 방지하기 위한 방안, 바람직한 태도나 행동을 유지할 수 있는 방안, 적개심을 품지 않도록 하는 전략 등이 있다. 그 중에서도 적개심을 방지하기 위해 프리드먼과 로젠만은 다음과 같은 훈련 방법을 제안한다.

1. 자신의 내면에 적개심을 품고 있지는 않은지, 또는 그렇게 행동하지는 않는지 항상 스스로를 살펴보라. 자신의 적개심이 자칫 심화될 수 있는 가능성에 주의하라. 늘 주변 사람들의 욕구와 필요사항이 무엇인지 이해하고, 아울러 상대와 대결하고자 하는 감정을 억제하라.

2. 다른 사람이 무엇인가 잘한 일이 있을 때에는 진심으로 인
   정하고 감사하라.
3. 다른 사람은 형편없으며 자신만이 옳은 것처럼 말하지 마
   라. '대부분의 이상주의자들은 좌절감을 가지게 마련이며,
   늘 적개심을 가지고 살아간다.' 실패나 실망스러운 상황에
   서 다른 사람의 실수나 잘못을 비난하지 말라.
4. 가능한 한 자주, 보다 많은 사람에게 미소 지어라. 상대방
   에게서 존경이나 정을 느낄 수 있는 좋은 점을 찾아내기 위
   해 살펴보라.

만약 당신이 Type-A 행동특성이 있거나 특히 적개심 요소를 가지
고 있다면 그것은 1주나 2주 만에 형성된 것이 아니다. 따라서 이러
한 행동특성을 바꾸기 위해서는 몇 개월 또는 몇 년이 걸릴 수도 있
다. 그러나 Type-A 행동 특성을 완화시키기 위한 노력은 육체적 건
강과 심장질환의 위험성을 줄여 주기 때문에 노력에 대한 투자의 가
치가 충분히 있다.

육체적 건강

경영자의 육체적 건강을 위한 두 번째의 열쇠는 규칙적인 운동이
다. 규칙적인 운동이 건강과 웰빙에 미치는 긍정적인 효과는 너무나
크기 때문에, 만약 누군가가 육체적 운동을 병에 담아서 길거리에서

판매한다고 하면, 병에 붙은 상표는 아마 '만병통치 강장제(cure all tonics)' 정도가 될 것이다. 과학적으로도 운동은 정신과 육체에 광범위한 긍정적 효과가 있다는 것이 입증되었다. 이러한 효과는 어린이와 청년, 성인 등 모든 연령에 공통적으로 나타난다.

미국 보건후생성의 발표에 따르면 규칙적인 운동의 효과는 모두 나열하기가 힘들 지경이다.

1. 심장병의 발생 빈도나 사망률을 크게 줄여주며, 고혈압의 발생을 지연시키거나 혈압을 감소시켜 준다.
2. 몸무게의 조절을 도와주고, 결장암 발생위험을 줄여주며, 당뇨를 예방해 주고 이미 당뇨가 있는 사람의 사망률을 낮춘다.
3. 심리적인 웰빙을 증대시켜 주고, 불안과 우울한 심리를 해소해 준다.
4. 뼈와 근육을 강화시켜 주고 유연성을 증대시켜 주며, 나이 많은 사람의 전반적인 신체 기능을 강화시킨다. 또한 넘어질 위험을 줄여 준다.

이상의 잘 알려진 장점 이외에도 규칙적인 육체적 활동은 유방암과 방광암을 포함한 암 발생의 가능성을 줄여 주며, 폐경기 이후 여성의 골다공증 발생위험을 줄여 준다. 또한 육체적으로 활동적인 사람은 그렇지 못한 사람에 비해 심장질환에 걸릴 확률이 거의 절반으로 줄어든다.

직무상 스트레스를 많이 겪는 경영자들에게 운동은 스트레스로 인한 신체적 부작용을 감소시켜 주고, 단기적으로는 울적한 기분을 풀어 주며, 장기적으로는 불안, 우울증과 같은 심리적 성격특성을 변화시키는 데 도움이 된다. 규칙적으로 운동을 하면 스트레스 상황에서 야기되는 심리적 흥분의 수준을 조절하고, 이완감(relaxation)을 갖는 능력이 증대된다. 그러나 현재까지 운동이 스트레스를 완화시켜 주는 효과가 있다는 것은 확실하게 밝혀졌으나, 신체적으로나 정신적으로 어떤 과정들을 거쳐 그러한 효과가 나는지에 대해서 완전히 밝혀지지 않고 있다.

여러 가지 운동 중에서도 신체에 산소공급을 촉진해 주는 에어로빅 운동이 스트레스 예방 수단으로 가장 높이 평가받고 있다. 에어로빅 운동을 하게 되면 심장박동이 빨라지고 호흡이 가쁜 상태가 20~30분간 지속된다. 조깅, 경보, 에어로빅댄스, 수영 등은 모두 에어로빅 운동에 속한다. 에어로빅 운동은 심장과 호흡기의 건강을 증진할 수 있는 운동이다. 스쿼시나 테니스 등의 운동은 마음의 긴장과 억눌림을 해소하는 데 도움이 되지만 에어로빅 효과는 미흡하다.

많은 사람들은 취미나 기타 자신이 좋아하는 활동, 예를 들어 정원 가꾸기, 음악 감상, 뜨개질, 반신욕 등이 긴장을 해소하는 데 큰 효과가 있다는 것을 알고 있다. 이러한 효과를 얻기 위해서는 활동의 근본 목적이 즐거움 자체를 위한 것이어야 한다. 취미 활동의 효과에 대해 많은 연구가 이루어지지는 않았지만 취미 활동이 생활 중의 분노를 치료하는 데 많은 도움을 준다는 것은 분명하다.

육체적 건강의 핵심 요소

　육체적 건강을 달성하기 위해서는 세 가지 차원의 건강이 필요하다. 이 세 가지는 심폐 건강(에어로빅 능력이나 지구력과 관련됨), 근육의 유연성 그리고 근육의 힘이다. 이 세 가지 차원의 건강은 경영자의 전체 건강을 좌우하는 독립적인 요소들이며, 이러한 육체적 건강의 각 요소를 튼튼히 하기 위해서는 다양한 방법을 사용할 수 있다. 예를 들어 볼링, 소프트볼, 승마, 정원 가꾸기 그리고 장작 패기 등은 모두 육체 건강을 증진하는 데 도움이 된다. 뿐만 아니라 이러한 활동들은 스트레스나 좌절감 또는 공격적 분노 등을 외부로 배출하는 데 도움을 준다.

　• *에어로빅 운동*: 달리기, 자전거 타기 등 지구력 훈련을 통해 증대된 심폐기능과 관련된 운동을 말한다. 에어로빅 운동은 반복적인 신체 활동을 통해 심장박동이나 호흡 그리고 신진대사율을 20~30분 이상 높은 상태로 유지하는 것을 말한다. 조깅, 수영, 에어로빅댄스, 힘차게 걷기, 노 젖기, 자전거 타기, 테니스, 스쿼시, 크로스컨트리 스키 등은 에어로빅에 해당하는 운동들이다. 에어로빅 운동이나 지구력 훈련은 다양한 근육을 사용하게 되며 리듬을 타고 계속적으로 유지되어야 심폐기능을 강화하는 데 효과가 나타난다. 청장년층을 대상으로 한 연구에서 8주간의 에어로빅 훈련 프로그램을 마친 사람은 자율신경의 활동 능력이 증대되는 것으로 확인되었다.

　운동으로 인한 스트레스 완화효과는 남성보다 여성이 더 높은 것으로 알려지고 있다. 네덜란드 학자들이 남성을 대상으로 한 연구에서는 운동이 스트레스를 이겨 내는 데 별다른 효과를 확인하지 못한 반면에, 48명의 여성을 대상으로 한 연구에서는 에어로빅 운동이 불안감과 생리적 반응을 완화시킨다는 것이 확인되었다. 이것은 조깅이나 이완운동 등의 효과가 남성보다 여성에게 더 효과적이라는 다른 연구 결과와 일치하는 내용이다. 아울러 에어로빅 운동은 1회성으로는 그 효과가 거의 없으며 지속적인 효과를 보려면 조깅 등을 습관화해 지속적으로 실행해야 한다.

• **근육의 유연성(Muscle flexibility)**: 최고의 육체적 건강을 유지하는 데 두 번째로 중요한 것이다. 유연성은 좀 더 부드러운 형태의 운동으로 가능한데, 이 유연성 역시 스트레스를 예방하는 데 대단히 중요하다. 스트레스 상황에서는 피의 흐름이 뇌 활동에 집중되며 이것을 원래대로 회복시키기 위해서는 반복적이고 규칙적인 근육의 이완이나 유연성 운동이 필요하다. 이를 위해 심폐기능을 최대화할 필요는 없으며, 간단한 체조나 요가, 기체조, 모던 댄스 등으로 가능하다. 전문가들은 하루에 3회 정도 천천히, 점진적이고, 차분한 방법으로 근육의 이완을 풀어주기를 권하며, 특히 근육이 뭉쳐 있는 곳에는 다른 부분보다 50% 더 많이 근육이완을 시켜 주라고 말한다.

근육이완과 유연성 훈련은 스트레스 이완 훈련과 동시에 할 수 있다. 일종의 움직이는 명상운동인 중국의 기체조 '타이치'는 과격하지 않으면서 스트레스를 풀어주는 데 많은 효과가 있다. 전자조립 공장의 근로자들을 대상으로 한 실험에서 매일 10분간의 유연성 운동 프로그램을 실시함으로써 직장 분위기가 밝아지고 근로자들의 육체적 유연성이 증대했다. 근육의 유연성과 육체적 파워는 상호 관련되어 있기 때문에 유연성이 없으면 최대의 파워를 갖출 수 없다.

• **근육강화 훈련**(*Muscle strength training*)*:* 육체적 건강에 필수적인 세 번째 요소는 강한 근육이다. 이것은 특정 부위의 신체적 내구력 또는 스트레스를 이겨 내는 데 중요한 열쇠가 된다. 따라서 직업의 특성이나 일의 종류에 따라 강인한 근육이 성과 달성의 요건이 되는 경우가 있으며, 이러한 상황에서 근육강화 훈련은 더욱 중요해진다. 근육강화 운동이 그 자체로 심폐기능을 강화하는 데 큰 효과가 있는 것은 아니지만, 적개심을 분출하고 긴장된 근육을 풀어 주며, 자신의 이미지를 개발하는 데 효과가 있는 것으로 나타났다.

조디 그랜트 – 어려움 속에서도 건강을 유지한 사례

재무와 경제학에 MBA와 박사 학위를 가지고 있는 조디 그랜트는 매우 도전적이고 특별한 경력을 가지고 있다. 경영자로서의 수많은 책임과 지역 사회의 활동 속에서도 그는 '젊은 사장들의 단체(Young Presidents' Organization, YPO)'의 국제회장 역할을 수행하고 있다. YPO는 40세 이전에 일정 기준 이상의 기업의 사장이나 CEO가 된 사람들로 구성된 단체이다.

그랜트는 대학시절에 수영 대표선수였으며, 경영자가 되어서도 취미로 수영을 계속하였고, 여기에 달리기를 취미활동에 추가하여 마라톤을 수차례 완주하기도 하였다. 그는 이러한 규칙적인 운동을 통하여 두 번에 걸친 중대한 사업상의 위기를 극복할 수 있었다. 첫 번째 위기는 1980년대에 그가 텍사스 아메리칸 은행의 사장으로 있을 때 불어 닥친 금융업의 파산상황에서였다. 두 번째의 위기는 EDS가 GM으로부터 분리될 시기에 재무담당 이사로 근무하면서 겪은 어려움이었다. 그랜트는 자신이 위기를 만난 시기에도 건강을 유지하고, 긍정적 마음으로 앞을 내다보며, 성공적으로 정상을 회복할 수 있었는데, 그 에너지의 원천이 운동을 통한 건강관리 때문이라고 하였다.

운동을 규칙적으로 못하는 5가지 핑계

미국 보건후생성의 권고 기준에 의하면 어느 정도의 건강증진 효과를 얻기 위해서는 1주일에 5회 이상 운동을 해야 하며, 1회 운동 시 땀이 날 정도로 30분 이상 해야 한다. 잠깐 동안의 운동, 예를 들어 15~20분의 운동으로 동일한 효과를 얻기 위해서는 보다 집중도가 높은 운동이 필요하다.

세계의 수많은 경영자들 중에는 규칙적인 운동을 하는 사람이 많은 것으로 조사되었다. 이들은 1주 3회 이상 또는 매일 5km 정도의 조깅, 마라톤이나 하프 마라톤 등을 많이 하고 있다. 운동의 효과에 대해 이들 경영자들은 에너지의 강화, 집중력과 의사결정 능력의 증대, 자신감과 전체적인 웰빙의 증대 등을 거론한다.

운동이 육체적으로나 정신적으로 많은 긍정적인 효과가 있다는 것은 연구자들이나 실제 운동을 하는 사람들이 증명하고 있음에도 불구하고, 미국이나 유럽의 경영자들 중 약 40~60%의 사람들은 규칙적으로 운동을 하지 않는 것이 현실이다. 그 이유가 무엇일까? 운동을 하지 않는 핑계로 가장 대표적인 것 5가지는 다음과 같다. 각각의 핑계에 대한 반박 의견을 함께 살펴보자.

1. 시간이 없다.

일, 가족, 기타 약속 때문에 운동할 시간이 부족하다. 그러나 규칙적으로 운동을 하는 사람들의 증언을 들어 보면 운동을 통해 집중력이나, 문제해결 능력의 증대뿐만 아니라 다른 부수적인 효과를 얻을 수 있기 때문에 오히려 시간을 벌 수 있다고 한다.

2. 달리는 것이 너무 단조롭다.

운동은 혼자 할 수 있을 뿐 아니라 그룹으로도 할 수 있으며 다양한 형태가 가능하다. 예를 들어 걷기, 수영, 자전거 타기, 농구, 배구, 정원 가꾸기, 스포츠 댄스, 심지어 낙엽 치우기 등 얼마든지 다양한 방법을 생각할 수 있다. 매일 다른 종류의 운동을 할 수 있으며, 조깅이라도 매일 다른 길을 달리거나 자전거를 타는 것도 단조로움을 줄이는 데 도움이 된다. 출장을 다니는 경영자들 중에는 새로 방문한 도시를 아침의 조깅으로 즐기는 사람도 많다.

3. 나는 무릎(허리)이 좋지 않다.

심하게 신체의 특정 부위가 허약하거나 문제가 있는 경우에는 심한 운동을 할 수 없는 경우가 있다. 그러나 대부분의 경우 운동의 종류를 적절하게 선택하면 무릎이나 허리 등 특정 부위가 약한 사람도 운동을 할 수 있다. 만성적으로 허리나 약한 신체 부위가 있는 사람의 경우에도 운동을 함으로써 실제로 약한 부분을 극복하거나 통증을 완화하는 데 도움을 받는다. 의심이 간다면 주변의 전문가들에 확인해 보기 바란다.

4. 적절한 시간이 나지 않는다.

아침 일찍 출근해야 하며, 저녁에는 어두워져야 귀가한다. 또한 출장이 너무 많다. 규칙적으로 운동을 하는 사람들은 자신의 생활스케줄을 최적으로 활용해 운동시간을 확보한다. 이것은 시행착오를 통해 적응해 가야 한다. 아침이나 저녁시간의 평소 스케줄을 변경시켜야 하는 경우도 있으며, 어두운 시간에 달리기를 하는 것에 대한 부정적인 생각을 바꿀 필요도 있다.

5. 운동을 시작하기가 엄두가 나지 않는다.

계단을 조금만 걸어도 숨이 찰 정도이다. 평소에 운동을 하지 않던 사람이 새롭게 운동을 시작할 수 있는 방법은 처음에 5~10분 정도의 가벼운 운동으로 시작해 점차 서서히, 몇 주에 걸쳐 운동량을 늘려 가는 것이다.

운동을 해서 얻을 수 있는 긍정적 효과는 이루 다 나열하기가 힘들지만, 운동으로 인한 부작용은 거의 없다. 근육부상이나 골절 부상 등을 입을 수 있지만, 이는 운동량을 갑자기 증대시키지 않고 몸 상태에 따라 서서히 늘려나가면 예방할 수 있다. 힘든 운동을 하다 보면 넘어지기도 하고, 여러 가지 부상을 입기도 하지만 규칙적 운동은 심장질환으로 인한 사망의 위험까지 줄여 준다.

미국 스포츠의학협회는 평소 운동을 하지 않던 사람이 새롭게 시작하는 경우 운동의 부작용을 줄이기 위해서는 점진적으로 실행해야 한다고 강조하고 있다. 아울러 건강에 취약점이 있는 사람이나, 고혈압과 같은 심혈관상의 위험이 있거나 40세 이상의 남성 그리고 50세 이상의 여성이 운동량을 현격하게 증대하기 위해서는 반드시 사전진단이나 전문가의 조언을 받아야 한다.

건강한 식습관과 체중조절

나쁜 식습관과 체중과다는 심장질환을 야기할 수 있는 중요한 위험 요인이다. 세계보건기구(WHO)에 따르면 건강한 식습관과 체중조절, 지속적인 운동을 통해 암 발생의 3분의 1을 예방할 수 있다.

과체중과 비만은 칼로리의 섭취와 소비 사이의 불균형 때문에 발생하므로, 가장 효과적인 체중조절 방법은 식사와 운동의 적절한 조절에 달려 있다. 운동을 하지 않고 다이어트만 하게 되면 몸은 허기진 상태가 되고 이것은 신체의 신진대사를 저하시킨다. 이는 운동은 하지 않은 채 다이어트만 하면 효과가 적다는 것을 의미한다. 지혜로운 식습관과 규칙적인 운동을 병행하는 것이 과체중을 줄이고, 감량된 체중을 계속 유지하는 데 가장 효과적인 방법이다.

다이어트가 건강에 미치는 효과에 대해 많은 논란이 있기는 하지만 대부분의 스트레스 연구자들은 하루 동안에 체내의 에너지를 같은 수준으로 유지하고, 체중을 일정하게 유지하는 것이 가장 중요하다고 강조한다. 설탕, 가공식품, 알콜, 카페인 등의 과다섭취는 체내에 불규칙적인 에너지 패턴을 야기하며, 질병이나 스트레스에 대한 저항력을 떨어뜨린다.

리퍼리(Rippere) 교수는 영양결핍이나 음식 중독, 음식 알레르기 그리고 카페인 등의 과다섭취와 성인의 정신적 문제의 상호 관련성을 제시하고 있다. 그녀가 지적했듯이 커피, 차, 초콜릿이나 콜라 등을 통해 하루 1g 이상의 카페인을 섭취하는 사람은 비록 스트레스 이완훈련을 하는 경우에도 그 효과가 별로 없다.

약물의 종류에 따라 인체에 미치는 효과가 다르듯이 어떤 음식을 주로 먹느냐가 기억력이나 기분을 좌우하는 데 영향을 미친다. 고(高)탄수화물이나 저(低)단백질 식품은 마음의 여유를 가져오고 심리적 긴장을 완화시켜 주며, 저 탄수화물과 고 단백질 음식은 반대의 효과가 있다. 언제 음식을 섭취하는가도 영향을 끼친다. 사람의 몸은 외부의 자극 즉, 스트레스 요인을 만나게 되면 이에 효과적으로 대처하기 위해 혈당의 안정적 공급이 필요하다. 또한 뇌가 정상적으로 기능하기 위해서도 포도당의 안정적 흐름이 중요하다. 하루 4~5회에 걸쳐 적은 양의 식사를 하는 것이 영양분의 인체흡수에는 더 도움이 된다. 따라서 밤늦게 한번에 많은 양의 음식을 섭취하는 것은 콜레스테롤과 체중증가를 초래할 위험이 크다.

만성적인 스트레스는 혈중 콜레스테롤을 증대시키며, 심장질환이나 다른 질병의 원인이 되기 쉽다. 스트레스를 잘 관리하면 혈중 콜레스테롤을 낮추는 데 도움이 되며, 혈관 수축을 예방하거나 오히려 혈관을 확장시킬 수 있다. 오니시(Ornish) 교수는 지방섭취를 전체 음식의 10% 이하로 줄이고, 1일 1시간 정도 스트레스 완화 훈련을 병행하면 심장질환을 방지할 수 있다고 주장했다.

유럽의 심장질환협회, 미국의 심장협회, 기타 세계적인 전문기관의 연구결과들을 바탕으로 전문가들은 심장마비나 기타 심장질환을 예방하기 위해서는 다음과 같은 식습관이 효과가 있다고 권고한다.

- 체중조절을 위해 에너지의 균형을 유지하라.
- 에너지 섭취 중 포화지방은 10% 이내로 하라.
- 1주에 1회 이상 생선을 섭취하라.
- 1일에 적어도 400g의 야채와 과일을 섭취하라.
- 소금 섭취를 하루 6g 이하로 제한하라.

아울러 아래에 제시된 단순하지만 종합적인 제안은 스트레스를 극복하는 능력을 증대시켜 주는 데 효과적인, 건강한 식습관이다.

1. 음식을 골고루 섭취하라.
2. 이상적인 체중을 유지하라. 체중과다는 당뇨, 심장마비 등

기타 수많은 질환의 원인이 된다. 심지어 몇 kg에 불과하더라도 체중이 과다하게 많으면 스트레스에 대한 저항력과 자기존중감을 떨어뜨린다.

3. 지방 섭취를 줄이라. 서구인의 평균적 식사 중 37%가 지방성분이며, 이것은 건강을 위협하는 수준이다.

4. 가공되지 않은 음식을 많이 섭취하라. 야채, 과일, 현미, 곡식 등은 섬유질을 많이 함유하고 있다. 섬유질은 체중조절과 질병예방에 중요한 성분이다.

5. 설탕을 피하라. 인체에 칼로리만 증대시켜 주는 설탕은 순간적으로 혈당을 증대시켜 주지만 결국에는 설탕을 섭취하기 전보다 혈당을 더 떨어뜨린다. 이러한 '롤러 코스트 효과'는 에너지를 약화시키게 된다.

6. 소금의 섭취를 절제하라. 고혈압이 있는 사람은 소금이 특히 해롭다.

7. 과음하지 마라. 알콜은 칼로리가 많으며, 스트레스를 극복하는 데 필요한 몸속의 비타민 B를 소모시킨다.

8. 카페인을 과용하지 마라. 카페인도 알콜과 마찬가지로 비타민 B를 소모시키며, 몸속의 스트레스에 대한 저항력을 약화시킨다.

9. 비타민과 미네랄 보충제를 섭취하라. 스트레스를 많이 경험하는 사람일수록 보다 많은 비타민(특히 비타민 B)과 미네랄 섭취가 필요하다. 오니시 교수는 철분이 함유되지 않은 종합 비타민을 권고한다.

10. 적은 양의 음식을 천천히 자주 먹어라. 빈번한 음식섭취는 심하게 배가 고픈 상태와 이어지는 폭식을 예방하게 해 주며, 아울러 혈당 수준을 일정하게 유지해 준다. 편안한 상태의 식사는 저절로 긴장감을 완화시켜 준다.

좋은 습관들

편안한 수면

인체의 생존을 조정하는 사람의 뇌가 정상적 기능을 하기 위해서는 반드시 적절한 휴식이 필요하다. 적절한 휴식을 취하지 못해 뇌의 기능이 균형을 이루지 못하고 있을 때에는 스트레스 등 주변의 상황에 효과적으로 대처하지 못한다.

수면장애는 뇌의 기능과 안정성에 영향을 미치게 되므로 피로회복과 정상화에 지장을 준다. 쉽게 잠이 들지 못하거나, 밤 내내 불면증에 시달리거나 또는 새벽에 잠이 깨는 것은 불안이나 우울증 등과 관련이 있다.

이러한 상황을 극복하기 위해 술을 마시고 취침하게 되면 새벽에 잠이 깨게 되는데 이것은 알콜 때문에 증가된 몸속의 아드레날린 때문이다. 따라서 수면장애를 극복하기 위해 음주에 의존하는 것은 문제를 더 악화시키게 된다. 가벼운 운동이나 개와 함께 산책을 하거나 취침 전 따뜻한 목욕 등을 하는 것이 바람직한 방법이다.

음주와 흡연

음주와 흡연이 둘 다 건강에 좋지 않다는 점에서는 동일하나, 이 둘에는 한 가지 중요한 차이점이 있다. 알콜은 적정량만을 섭취한다면 수명을 연장시켜 준다는 것이 밝혀졌지만, 흡연은 섭취량에 상관없이 인체에 해로움만 야기한다는 점이다. 흡연자 중 절반의 주된 사망원인이 흡연이었던 것으로 조사되고 있다.

시간이 지날수록 많은 연구자들이 1일 1~2잔 정도의 적정량의 음주는 건강에 도움을 준다는 사실을 발견하고 있다. 적정량의 음주는 심장혈관계 질환의 위험을 30~40% 감소시키는 데 효과가 있다. 그러나 적정량 이상의 알콜 섭취는 건강, 업무수행 능력 그리고 인간관계에 나쁜 영향을 미친다. 과다한 알콜 섭취, 특히 폭음은 심장질환의 위험을 증대시킨다. 따라서 알콜중독자에게는 이를 극복할 수 있도록 회사나 가족, 사회단체 등의 지원과 도움이 필요하다.

예방적 건강관리

많은 경영자들은 바쁜 생활 중에서도 자신의 건강을 관리하는 노력보다 자신의 벤츠 승용차나 스포츠카를 관리하는 데 더 많은 시간과 신경을 쓴다. 몇 년만 사용하고 나면 바꾸거나 또는 언제라도 교체할 수 있는 자동차에 쓰는 신경보다 평생 동안 같이하며 또한 교체가 불가능한 자신의 건강에는 신경을 덜 쓰는 것이다.

심장 건강에 좋은 생활습관, 운동과 건강한 식습관 등은 모두 예방적 건강관리의 중요한 부분이다. 정기적인 건강 검진과 선택적인 스크리닝 테스트는 건강의 위험 요인과 암의 조기 발견에 대단히 중요하다. 많은 종류의 암은 요즈음에는 조기에 발견만 한다면 치유할 수 있다. 특정 부분에 대한 심층 검진의 필요성은 경우에 따라 다르지만 적어도 고혈압의 측정, 방광암, 유방암 등은 조기 검진을 함으로써 큰 도움을 얻을 수 있다.

육체적 건강의 영향

육체적 건강은 장수와 웰빙의 기초가 된다. 우리는 노화나 질병의 발생 여부에 많은 영향을 미치는 자신의 유전자를 바꿀 수는 없다. 그러나 심장질환의 위험도를 진단하고 관리할 수 있으며, 규칙적인 운동을 할 수 있고, 건강한 식습관과 적절한 체중을 유지할 수 있으며, 아울러 알콜 섭취를 조절하고, 편안한 수면을 하는 데 도움이 되는 방법들을 찾아내어 노력을 기울일 수 있다.

어떤 분야에 종사하든지 관계없이 경영자들은 엄청나게 바쁘게 돌아가는 직장생활 속에서도 운동을 하고 적절한 체중을 유지하는 것이 가능하다. 이러한 건강한 생활습관들은 경영자들로부터 시간과 에너지를 빼앗기보다 그 반대로 에너지를 증대시키고 생산성을 높이며 성공의 길로 인도한다.

6장 정리

1. 육체적 건강은 경영자와 관리자들이 일의 성과를 높이는 데 기초가 된다.

2. 적개심과 직무 스트레스 등 심장질환의 위험 요인을 인식하고 이를 예방적으로 관리하는 것은 대단히 중요하다. 건강한 심장에 도움이 되는 행동은 노력으로 가능하다.

3. 일상적으로 격렬하지 않은 육체적 활동을 하는 것은 신체적 건강과 정신적 건강에 매우 유익한 영향을 미친다. 근육의 유연성 운동과 근력 증강운동도 육체 건강에 역시 중요하다.

4. 적절한 식사와 체중조절은 육체 건강과 수명 연장의 핵심적 요소이다.

7장

정신적 웰빙

사업에서의 성공은 사업의 내용 자체에 즐거움이 있을 때 가능하다.

— 미국연방법원 판결문 중

육체의 활력은 좋은 것이다. 그리고 정신적 활력은 더욱 좋은 것이다.

— 테어도어 루스벨트

중요한 것은 얼마나 오래 살았느냐가 아니라,

사는 동안에 어떤 삶을 살았느냐이다.

— 에이브러햄 링컨

미국에서는 2001년 6월, 직장에서의 정신적 질환으로 인한 비용의 증가가 큰 관심을 불러일으켰는데 뒤이어 발생한 9.11 테러사건은 그런 관심을 더욱 증폭시켰다. 대체적으로 경영자와 관리자들은 심리적 불안이나 정신적인 질환을 겪는 것보다는 심리적으로 건강한 웰빙 상태에 있는 것이 인간 본래의 상태라는 점을 간과하고 있다. 자신이 스스로 대처할 수 없을 정도의 스트레스가 닥치게 되면 어느 누구나 병의 접근을 막을 수 없게 되고 스트레스로 인한 질환은 대부분이 심리적인 불안이나 정신적인 질환의 형태로 찾아온다.

오늘날 경영자와 관리자들이 휴가나 질병휴가를 신청하는 이유로 가장 많은 것이 스트레스이다. 그러나 직장생활을 함에 있어서 스트레스를 극복하지 못하고 힘들어하는 현실의 모습은 얼마든지 변경시킬 수 있다. 평생에 걸쳐 경제불황과 자신의 우울증세와 싸워야 했던 윈스턴 처칠의 경우를 살펴보자. 그는 제2차 세계대전을 이끌어 나가야 하는 힘든 상황에서도 건강한 생활습관으로 스트레스를 잘 극복해 세계를 변화시키는 위업을 이루었다. 처칠은 아내 클레멘타인과 일심동체로서, 거의 완전하다고 할 수 있을 정도의 심층적인 감정적 교류를 할 수 있었으며, 아울러 그림 그리기 등의 취미생활을 통해 평소에 스트레스를 건전하게 해소하고 정신적 건강을 유지할 수 있었다.

정신적 웰빙을 강화하기 위한 전략들

경영자들이 정신적 건강과 웰빙을 증대시키기 위한 가장 효과적인 방법인 예방적 건강관리(preventive health-management) 전략에는 여러 가지가 있다. 경영자가 정신적 웰빙을 추구하고자 하는 경우 두 가지의 핵심 목표는 첫째, 일중독증을 몰아내는 것이고 둘째, 적개심을 극복하는 것이다. 이를 위해서는 자기 인식의 증대, 시간관리 그리고 상황에 대한 관점을 조절하는 전략이 사용될 수 있다.

자기 인식(self-awareness)

스트레스를 관리하는 여러 가지 기법과 수단을 익히기 전에 먼저 필요한 것은 스트레스에 대한 자신의 지식을 높이는 것이다. 즉, 자신이 스트레스를 특히 많이 느끼는 것이 어떤 이유 때문인지를 알아내는 것이 중요하다. 자신에게 나타나는 스트레스가 내면의 갈등 때문인지, 삶의 균형이 깨져서 그런지, 아니면 자신의 영향력 밖의 어떤 요인 때문인지 구분할 필요가 있다.

많은 스트레스 관리 전문가들은 오늘날 기업들이 근로자들의 스트레스를 줄이기 위한 노력을 제대로 하지 않는다고 비판한다. 그러한 비판은 기업뿐만 아니라 근로자들을 향할 수도 있다. 이것은 직무 스트레스를 줄이기 위해서는 기업과 경영자 그리고 근로자 개개인도 모두가 노력해야 한다는 당위성의 반영이기도 하다.

스트레스를 유발하는 요인 중에는 사랑하는 사람의 사망처럼 개인의 힘으로 어쩔 수 없는 상황이 있기도 하지만, 대부분의 경우에는 개인의 노력으로 스트레스를 어느 정도 극복할 수 있다. 또한 스트레스에 대해 알면 알수록 스트레스를 극복하기 위해서는 자신의 생활습관이나 성격, 또는 세상을 보는 관점을 바꿔야 한다는 점을 느끼게 된다.

다음의 〈표 7.1〉은 경영자들에게 일어날 수 있는 스트레스 유발 상황에 대해 이를 관리하는 데 효과적인 행동과 비효과적인 행동을 대비시켜 보여 주고 있다. 비효과적인 대응 행동은 흔히 문제를 부인하는 태도와 관련이 있다. 그러나 처음에 문제를 회피하거나 부인해서 결국에는 문제가 만성적인 형태가 되거나 심각하게 악화되는 경우가 많다는 것을 유의해야 한다.

경영자들은 〈표 7.1〉에 제시된 모든 상황을 자신은 물론 주변사람들에게도 좋지 않은 비효과적인 행동에서 효과적인 행동으로 변화시킬 수 있다. 그러나 근본적으로 이러한 행동변화를 위해서는 스트레스의 원인이 무엇인지 알아야 하므로, 먼저 문제 상황을 제대로 이해해야 한다. 사람들은 스트레스를 유발하는 요인들을 뚜렷한 근거 없이 쉽게 생각해 낸다. 예를 들어, 피로하거나 잠을 잘 수 없다거나 흡연을 하는 등의 행동을 하게 되면 이것이 스트레스의 원인이라고 생각한다. 그러나 겉으로는 잘 보이지 않지만 실제적인 스트레스의 원인은 승진에서의 누락, 실망 그리고 희망의 좌절 등이기 쉽다. 아울러 우리는 스트레스의 원인을 하나의 상황에서만 경험하는 것이 아니다. 하나의 스트레스 상황은 다른 스트레스와 연결되는데 이것을 쿠퍼(Cooper)와 켈리(Kelly) 교수는 '스트레스 체인(stress chain)'이라고 하였다.

하루 또는 주간, 월 단위로 어떤 사항들이 자신에게 스트레스를 초래하는지 파악하는 데에는 '스트레스 일기(stress diary)'를 작성해 보는 것이 도움이 된다. 이것은 자신에게 가장 많은 디스트레스(distress)를 초래하는 상황이나 사람에 대한 정보를 스스로 찾아내는 데 도움을 준다. 이 정보는 스트레스를 최소화하기 위해 각자의 실천계획을 수립하거나 또는 스트레스의 원인 자체를 제거하는 데도 도움이 된다. 스트레스 일기는 이러한 효과 외에도 최소한 경영자에게 언제 스트레스가 발생하는지에 대해 주의를 기울이게 한다.

〔표 7.1〕 **경영자의 건강문제에 대한 효과적, 비효과적 대응행동**

스트레스 요인	효과적 대응	비효과적 대응
과로	권한 위임	성과 저하에도 계속해서 과도한 일을 수행
구체적인 회사의 방침에 대한 정보의 부족	방침이 무엇인지 파악	막연하게 회사방침 추측
동료와 비협조적인 관계	동료와 문제점에 대해 해결을 시도하고 우호적 관계를 위해 협상	제3자를 통해 동료 비난 또는 간접적으로 공격
승진지연	다른 직장으로 이동	자신감을 잃고 자신의 무능함을 자책
직장과 가정의 역할갈등	가정의 역할에 필요한 시간을 상사와 의논(출장 최소화, 조기 퇴근 등)	가족의 문제발생 원인을 회사에 돌리고 불평
직장에서의 역할 불분명	역할 명확화를 위해 상사, 동료와 협의	직장의 역할 중 일부를 소홀하게 처리

출처 : Cooper, Cooper, Eaker, 8

스트레스 일기 작성은 2~4주에 걸쳐서 매일 일과가 끝났을 때 잠깐 시간을 내어서 하루의 활동시간 중 디스트레스를 초래한 사람이나 사건의 리스트를 작성해 보는 것이다. 디스트레스가 발생한 각 시점에 당신이 실제로 취했던 행동과 이 때문에 가졌던 느낌, 아울러 바람직하게 대응해야 했던 행동을 기억을 되살려 기록해 보라. 이 작업을 해 보면 조만간에 당신은 자신에게 스트레스가 오면 두통, 복통, 불안, 긴장감 등 어떤 증상이 나타나는지를 인식하는 능력까지 생기게 될 것이다.

스트레스 일기에 기록할 내용은 다음과 같다.

· 스트레스가 발생한 날짜와 시간
· 발생한 사건의 내용
· 관련된 사람의 이름
· 당신이 취한 행동
· 당신의 육체적/정신적 느낌
· 당신이 취했어야 할 사항(바람직하게 생각하는 행동이나 조치내용)

작업이 끝나면, 이 리스트를 보고 그 중에서 스트레스를 가장 많이 야기한 사람이나 사건을 다시 조사해 보고, 반복적으로 계속해 스트레스 요인이 되는 주된 사건을 압축한 다음, 이의 특성이나 사람의 유형을 추출해 보라.

예를 들면 스트레스 요인이 고정되지 않고 변화하는지, 아니면 특정한 유형의 사건이 반복적으로 스트레스 요인이 되는지 등에 대한 해답을 찾을 수 있다. 스트레스 요인이 다음의 사항들과 관련되어 있는가?

· 가정과 직장의 역할 갈등(해야 할 역할의 상충)
· 당시의 일의 역할(명료성, 책임)
· 업무과다, 시간 촉박 등

- 직장에서의 동료, 상사 등과의 인간관계
- 조직문화(경쟁적, 비호의적)

상사, 동료, 또는 부하나 배우자, 파트너, 가족 등 어떤 특정인이 스트레스 상황에 계속 관련이 되어 나타나는가? 스트레스를 주로 야기하는 사람이나 사건을 주의 깊게 분석하고 나서야 비로소 이 문제를 어떻게 해소할 것인지에 대한 실천 계획을 수립할 수 있다. 예를 들어, 스트레스를 주로 야기하는 상황과 그 대상이 마감 기한이 임박한 일 때문에 일어난 상사와의 갈등이 주된 문제점이라고 밝혀지면, 이 상사의 성격을 감안해 스트레스를 완화할 수 있는 실천 방안을 모색할 수 있다.

문제 상황을 정확하게 진단하고 이의 해결방안을 연구한다면 각 상황에서 상대방과 관계를 악화시키지 않고 문제를 해결할 수 있다. 이를 위해 1단계로 우선 다양한 해결방안을 먼저 생각해 본 후에 각 방안별로 스트레스를 줄이기 위한 목표와, 업무를 성공적으로 완수하고자 하는 목표를 고려해 최적의 실천 방안을 선택하면 된다.

정기적으로 스트레스를 야기하는 주된 상황과 사람이 누구인지, 또는 어떻게 삶의 균형을 회복할 것인가를 분석해 보는 시간을 갖는 것은 대단히 좋은 습관이다. 아울러 스트레스나 불안이 느껴질 때 신체에 어떤 현상이 나타나는지 인식할 수 있으면 앞으로 전개될 자신의 삶을 대처할 수 있는 방안에 대해 많은 힌트를 얻을 수 있다.

스트레스 상황을 해소하기 위해서는 사람에 따라서 실제로 가정이나 직장에서의 활동 내용을 조정할 필요가 있는 경우가 있다. 혹은 스트레스 상황을 만났을 때 여유를 찾기 위한 이완(relaxation) 행동을 하거나 반대로 보다 적극적인 주장이 필요할 때에는 이에 적절하게 행동함으로써 스트레스를 해소할 수 있다. 물론 어떤 변화를 추구하지 않고 현 상태를 유지하는 것도 대안이 될 수 있겠으나, 이러한 사람은 스트레스를 제공하는 상황 자체를 변화시키기보다 그대로 방치하기 때문에 지속적으로 스트레스를 받을 수밖에 없다. 행동이나 상황의 변화를 시도하는 것은 어려운 일일 수 있지만, 스트레스를 줄임으로써 맛보게 될 개인적 행복과 성과의 증대는 상황 변화를 위해 노력할 만한 충분한 가치가 있다.

알베르트(Arbrecht)는 관리자들 중에 스트레스를 많이 받는 스타일과 스트레스를 적게 받는 스타일의 행동 특성을 명료하게 구분하고 있다. 오른쪽의 〈표 7.2〉에서 보는 바와 같이 적절한 스트레스를 받는 그룹과 과도한 스트레스로 소모적 삶을 사는 그룹 간에는 많은 차이점이 있다.

이 표를 통해서 확인되는 사실은 스트레스를 별로 받지 않는 사람들의 라이프스타일 특성은 좋은 식습관을 실천하고, 음주는 절제하거나 거의 하지 않는 등 상식적인 권고 사항을 잘 지킨다는 것이다. 스트레스를 적게 느끼는 사람들의 다른 특성으로는 스트레스를 회피할 통로를 마련해 두거나, 역할 갈등이 적은 라이프스타일을 살아가는 것 등이 있는데, 이것들은 보다 소수의 사람들이 사용하는 좀 더 창의적인 접근법이다.

〔표 7.2〕 낮은 스트레스와 높은 스트레스 그룹의 라이프 스타일

높은 스트레스 그룹	낮은 스트레스 그룹
회복의 기간도 없이 만성적으로 스트레스를 경험한다.	도전적인 과제에 대해 일정기간 '창조적'인 스트레스를 경험한다.
지속적으로 하나 또는 둘 이상의 스트레스 상황에 있다(가족, 배우자, 상사, 동료 등과 상호관계 스트레스를 계속해서 가지고 있는 상황).	스트레스 상황을 수시로 벗어날 수 있는 '탈출구'가 있다(자신의 권리와 요구를 주장한다. 상호 존중과 스트레스 완화를 위한 인간관계를 위해 협상한다. 친구를 주의 깊게 선택한다).
일에 재미가 없고 성취감이나 보람을 느끼지 못하며 열악한 환경의 일을 한다.	일 자체에 성취감을 느낄 수 있는 도전적이고 만족스러운 일에 종사한다.
계속해서 시간 촉박 속에 시달리며, 할 일이 너무 많다.	도전의식을 가질 수 있는 정도의 균형 있는 업무량을 유지하며, 업무과다와 위기가 있으면 휴식기간을 가져 균형을 회복한다.
미래에 발생할지도 모르는 일을 미리 염려한다.	염려되는 일이 있을 때에는 동시에 도전과 희망적 면이 있음을 함께 고려해 균형을 유지한다.
건강에 좋지 않은 습관들이 많다(과음, 과식, 흡연, 음주, 운동 부족 등).	체력 관리와 건강관리에 힘쓴다(건강한 식습관, 금주, 금연 등).
활동 영역이 편중되어 있다(일중독, 사회활동, 돈 벌기, 혼자 지내기, 지나친 운동 등 한 분야에 치중으로 균형을 상실).	활동 영역이 다양하게 균형을 유지한다(일, 사회활동, 오락, 혼자 있기, 문화활동, 가족, 인간관계 등).
단순한 마음으로 휴식을 취하거나 일상의 작은 일에 즐거움을 갖지 못한다.	놀이를 할 때 의식적인 목적을 생각하지 않고 단순한 활동에서도 즐거움을 찾는다.
성생활을 즐기지 못하며, 사회적으로는 타인과 경쟁적인 생각에 많이 젖어 있다.	성적 욕구를 솔직하게 표현하고, 성생활을 충분히 즐긴다.
인생이나 삶을 심각하게 생각하고, 유머 감각이 부족하다.	인생을 전체로 즐기며, 자신이나 주변 사람에 대해 유머 감각이 발달해 있다.
사회적 역할 완수를 위해 자신의 욕구를 억제하며 주변의 기대에 맞추려고 한다.	내면의 욕구나 희망, 느낌 등을 표현할 수 있으며, 특정 역할에 구속되지 않고 자유롭다.
스트레스가 심한 상황에서 침묵으로 지내고 수동적으로 이를 견디며 지낸다.	스트레스 상황을 변화시키려 적극적으로 노력한다(마감일을 재협상하거나, 불필요한 스트레스 상황을 피하며, 시간을 잘 관리한다).

라이프스타일의 관리

직장이나 가정에서 어떠한 스트레스 요인을 가지고 있으며, 어떻게 살고 싶은지에 대한 방향을 구체화하고 나면, 스트레스 요인을 어떻게 제거하거나 완화시킬 수 있는지에 대한 해결책을 생각해 낼 수 있다. 이 방법은 경우에 따라 라이프스타일의 변화가 필요하기도 하지만, 목적의식을 가지고 추진해 보면 어려울 것으로 생각되던 스트레스 요인 제거가 그렇게 어렵지 않다는 것을 알게 된다. 앞에서 언급한 '스트레스 일기'를 작성하는 것만으로도 스트레스 상황을 변경시키거나 관리하고 긍정적 보상과 균형을 맞출 수 있는 보다 명료한 아이디어를 제공받을 수 있다. 아울러 라이프스타일의 변화를 위한 노력을 하지 않고 장기적으로 나쁜 결과를 가져온다는 것을 인식하면서도 현재의 상태에 안주하려는 경우에는 그 원인을 분석해 보는 것도 필요하다.

'남의 눈에 티는 잘 볼 수 있지만 자신의 눈에 들보는 잘 보이지 않는다'는 속담과 같이 자신을 분석하는 것보다 다른 사람의 스트레스 반응 특성을 참고하는 것도 자신에게 도움이 된다. 다른 사람은 스트레스 상황을 어떻게 극복하고 있으며, 어떤 노력을 하는지 관찰해 보라. 왜 그 사람은 거절하지 못하고, 계속해 일을 과도하게 떠맡아 스트레스를 받는가? 나도 이와 같이 행동하지는 않는가?

불행하게도 스트레스 상황에 놓여 있는 사람은 스스로 해결 방안을 찾아내기가 힘들다. 그러므로 주변에 있는 사람들이 상황을 객관적으로 보고 해결 대안을 제시해 주는 것도 효과적이다. 역으로 말하면 우리가 스트레스 상황 속에 있을 때에는 주변의 권고를 따르는 것이 문제를 해결할 가능성이 높아진다. 아울러 우리들은 스트레스 상황에 처했을 때 변화를 거부하기보다 새로운 방안을 시도하는 노력을 더욱 기울여야 한다.

건강한 라이프스타일을 추구함에 있어서 자신의 울타리를 벗어나서 다른 사람에 초점을 맞추고, 남을 도와주는 것은 궁극적으로 자신에게도 긍정적인 효과가 있다. '사우스웨스트 항공'의 전 회장 허브 켈러허는 20년 이상 남을 도와주는 건강한 삶을 살았으며, 그것이 기업 경영과 자신의 삶에 얼마나 좋은 결과를 가져오는지를 보여 주었다.

이 회사와 임직원들은 자사의 항공기가 이착륙을 하는 도시에서 '로날드 맥도널드 하우스'를 운영하면서, 심지어 암에 걸린 어린이들의 가족에게 음식과 집을 마련해 주었다. 그들은 자신들보다 이웃의 일을 더 진지하게 생각하고 실천했으며, 남을 돕는 삶은 결국 자신들이 더 많은 것으로 보상받는다는 것을 경험했다.

시간 관리

시간은 돈과 마찬가지로 제한된 자원이며, 선한 일에도 사용할 수 있고 악한 일에도 사용할 수 있다. 그러나 돈은 더 많이 벌 수도 있지만 시간은 하루 24시간 이상 가질 수 없다. 따라서 시간을 효과적으로 관리하는 것은 돈을 효과적으로 관리하는 것보다 더욱 중요하다고 할 수 있다. 특히 오늘날과 같이 생활리듬이 점점 빨라지는 시대일수록 시간을 잘 관리하는 것은 스트레스를 예방하는 데 매우 중요한 부분이다. 예를 들어 스스로 설정한 시간계획은 때로 일의 활기를 불어넣을 수 있는 수단이 되지만, 자신이 통제할 수 없는 상황에서 시간이 촉박하고, 생각할 시간도 충분하지 않다면 일의 성과를 높이기 어렵다.

자신의 시간이 낭비되는 경우 우리는 흔히 남을 비난하기 쉬우나, 많은 경우에 시간을 낭비하게 만드는 범인은 우리 자신이다. 시간을 낭비하게 되는 4가지 대표적 요인은 꾸물거림, 비조직화, 혼란 그리고 하부 위임의 부족이다.

스트레스를 많이 겪을 수밖에 없는 큰 규모의 업무를 수행하는 사람들이 정신적 긴장이나 불안을 해소하기 위한 방안에는 여러 가지가 있다. 운동, 휴식, 여행, 고독, 명상, 게임 등이 그것이다. 이러한 모든 방법들이 각자 나름의 효과가 있는 것은 분명하다.

1915년 영국의 해군대신으로 있었던 윈스턴 처칠은 한 과감한 해군작전을 계획하였으나 그 작전을 수행하였던 해군제독이 승리를 몇 분 남겨두고 철수하는 바람에 실패하고 말았다. 만약 그 전략이 성공했다면 세계 1차대전은 굉장히 빨리 끝날 수도 있었을 것이다. 그 전략의 실패로 처칠은 수상과 언론으로부터 외면당했고 해군대신에서 물러나라는 압력을 받았다. 처칠은 아무 권력이 없는 상태에서 그대로 내각에 남아 있었다.

어쩌면 그의 인생에서 가장 암울했던 시기였던 그 당시, 처칠은 그림을 그리는 것으로 심신을 달랬다. 그는 높은 직위에 있는 사람이 거대한 책무에서 벗어나는 것의 중요성을 '소일거리로서 그림그리기' 라는 수필에서 이렇게 적고 있다.

걱정과 과도한 정신적 긴장을 피하기 위하여 다양한 방법들이 권장되고 있다. 이러한 방법 중에 많은 것들은 경영자들이 강도 높은 책임과 역할을 수행하는 중에 실제 터득한 경험에 의해서 나온 것들이다. 어떤 사람은 운동을 권하고, 다른 사람은 휴식을 권한다. 또 다른 사람은 여행을 권하는가 하면 조용하게 고독을 즐기라고 하고, 어떤 사람은 다른 사람과 즐거운 시간을 가지라고 한다.

분명히 이러한 다양한 방법들은 개인의 성향에 따라 효과가 있다. 그러나 스트레스와 걱정을 떨어버리는 방법에 효과가 있는 불변의 원리는 '변화' 이다. 다시 말해 변화가 만능열쇠이다. 팔꿈치의 한 곳을 계속 사용하면 닳아 구멍이 나듯이 마음을 한 곳에 계속해서 사용하면 스트레스가 생기고 정신적으로 탈진하게 된다. 그러나 휴식을 통하여 마음의 닳아진 구멍이 기워지는 것이, 다른 팔꿈치를 사용하는 것과 마찬가지로, 다른 것으로 변화된 생각을 함으로써 가능하다. 즉, 마음의 휴식과 재충전은 새로운 세포의 활동으로부터 시작될 수 있다.

변화된 상황을 만드는 가장 보편적인 방법은 스포츠이다. 스포츠에도 직접 참여하는 적극적 수준과 구경하는 수준이 있을 수 있다. 둘 다 일상의 활동으로 쌓인 스트레스 상황을 잊어버리고 전혀 다른 사항으로 관심을 전환시켜주는 데 큰 효과가 있다.

이완과 회복

오랜 시간에 걸쳐 형성된 자신의 행동 특성을 변화시키는 데에는 많은 노력이 필요하다. 자신의 삶에서 스트레스 요인이 무엇이며 해소를 위해 어떻게 할 것인가를 고민하는 과정에서 손쉽게 실천할 수 있는 방안이 이완(relaxation)이다.

이완 훈련의 목적은 개인의 흥분을 가라앉히며 정신적, 생리적으로 보다 침착한 상태를 가져오는 것이다. 정신적인 면에서 제대로 된 이완 행위의 효과는 평화로움과 자기 통제력(self-control) 강화, 긴장과 불안감의 완화 등이다. 생리적으로는 혈압과 호흡 그리고 맥박을 가라앉히는 효과가 있다.

스트레스 해소를 위한 점진적 이완 기술은 1920년대에 제이콥슨(Jacobson)에 의해 보급되었으나, 스트레스 반응에 대한 자연 치유의 수단으로 발전시킨 것은 벤슨(Benson)이 사실상의 개척자이다.

이완 기법에는 여러 가지 종류의 명상, 근육이완, 호흡법, 자기 최면, 정신적 상상 그리고 형상화 방법 등이 있다. 뉴욕의 전화회사에 명상과 이완 훈련을 보급한 캐링턴(Carrington) 교수 팀의 연구에 의하면, 스트레스 완화 기법들은 직장인들도 쉽게 훈련할 수 있으며, 규칙적으로 실천하면 직무 스트레스를 해소하는 데 정신적으로나 육체적으로 긍정적인 효과를 발휘한다.

사람의 몸이 나날이 발생하는 스트레스로부터 벗어나 다시 재충전되기 위해서는 휴식의 시간이 필요하다. 스트레스가 발생하면 어떤 사람은 이를 발산해 버리지만 다른 사람은 이를 몸속에 계속 쌓아 두는 데, 후자의 경우에는 삶의 전 과정이 힘든 상황의 연속으로 느껴지게 된다. 항상 긴장되어 있는 사람에게는 사소한 문제도 마치 생존이 걸린 문제처럼 중요한 사건으로 생각될 수 있다. 상사로부터 갑자기 호출을 받았거나 과제 추진 일정에 문제가 생겼다거나, 동료와 갈등이 생겼다거나, 가정에서 자녀들과도 항상 긴장된 관계에 있는 사람은 모든 일을 심각한 문제로 받아들이게 된다. 이러한 사람은 아주 경미한 사항에도 불필요하게 과민 반응을 한다.

이런 모습으로 스트레스를 대처하는 사람은 자신의 건강을 악화시키는 커피나 차, 흡연, 약물 등에 의존하게 된다. 예를 들면 많은 사람들은 커피 타임을 스트레스를 해소하는 유익한 여유 시간으로 생각한다. 그러나 커피는 이완 효과뿐만 아니라 인체의 생리작용에 자극적 영향을 주는 부정적 효과도 있다.

이 밖에도 당장에는 좋게 느껴지지만 결국에는 우리의 몸에 해로움을 주는 행동에는 다음과 같은 것들이 있다.

- 흡연은 기분 전환과 에너지를 주며, 사람과의 교제에 유익하다고 생각되고 있으나 동시에 수면장애와 소화불량의 원인이 된다.
- 포도주는 교제 활동에 필요하며 근육 이완효과가 있으나 역시 에너지를 소모시키며 기분을 가라앉게 만든다.
- 설탕이나 초콜릿은 기분을 끌어올리지만, 유익한 영양분은 없이 칼로리만 함유하고 있다.

이러한 부정적 영향이 많은 방법들을 사용하는 대신, 건강하게 스트레스를 해소하는 것이 이완(relaxation) 훈련이다. 심한 스트레스 상황을 해소하는 데 사용할 수 있는 이완 동작은 우리 몸에 많은 긍정적 영향을 미친다. 이완 동작은 누구나 할 수 있는 간단한 기법이다. 이 방법을 자신의 습관처럼 계속 유지할 것인지에 대해 자신감이 없으면 일단 1개월만 실천해 보고, 계속할지는 그 후에 결심해도 된다.

최적의 효과를 얻기 위해서는 '깊은 이완 동작(deep relaxation)'을 하루에 1~2회씩 하는 것이 좋다. 왜냐하면 너무 자주 이완 동작을 하게 되면 나른해지고, 또 너무 오랫동안 이완 동작을 하면 환각 상태에 빠질 수 있기 때문이다.

이완 동작은 우리의 몸에 에너지를 보충해 주고, 스트레스, 피로, 긴장 및 불안감을 몰아내는 데 도움을 준다. 이완 동작은 수세기 동안 실천되어 왔는데, 서양에서는 기도로, 동양에서는 명상이 일종의 이완 동작으로 널리 이용되고 있다.

간단한 이완 동작 기법

이완 동작의 기법을 익히고 나면, 한번에 10분 정도의 투자로 스트레스 상황에서 에너지를 회복할 수 있다. 이완 동작의 목적은 스트레스나 긴장을 완화시키고 기운을 회복하는 것이다. 이것은 직장에서 손쉽게 할 수 있는 것이며 근무 환경과 상관없이 언제 어디서나 가능하다.

5~10분 간의 이완 동작 기법

1. 기대어 앉을 수 있거나 편안한 장소를 선정하라.

2. 눈을 감고 그동안 가봤던 장소 중에 정신적, 육체적으로 가
   장 편안함을 주었던 곳을 생각하라(해변, 산, 또는 자기 집
   의 정원 등). 적절한 장소를 정할 수 없으면 상상으로 최적
   의 장소를 연상하라.

3. 이제 자신이 그 최적의 장소에 있는 모습을 상상하라. 상
   상으로 아름다운 꽃을 보고 소리를 들으며, 향기를 맡아보
   라. 상상으로 편안하게 누워서 안식과 생기를 불어 넣어
   주는 주변 환경을 음미하라.

4. 평화와 안정을 느끼고, 자신의 몸과 마음이 재충전되고 새
   롭게 되고 있다고 상상하라.

5. 5~10분이 지난 후에 천천히 눈을 뜨고 몸을 쫙 펴라. 이제
   당신은 원하면 언제든지 이완 상태에 들어가서 몸과 마음
   에 평안함과 차분함을 가져올 수 있다.

주변 상황을 어떻게 인식할 것인가

앞에서 논의했던 스트레스 관리의 다양한 방법들은 모두 스트레
스 상황에서 이를 이겨 내는 힘을 강화시키거나 또는 예민한 반응을
완화시키는 데 목적이 있다.

이곳에서는 스트레스를 유발하는 사건에 대한 인식 자체를 살펴

봄으로써 발전적인 해결책을 모색하고자 한다.

그동안 논의했듯이 개인이 주변 상황을 어떻게 인식하느냐가 스트레스에 어떻게 반응하는지에 대단히 큰 영향을 미친다. 예를 들면 Type-A 유형의 사람들은 삶을 경쟁적인 것으로 인식하고, 늘 시간에 쫓기면서 스트레스를 경험한다. 또한 자신의 삶이 외부 요인 또는 환경의 지배를 받는다고 생각하는 사람들은 나날이 늘어가는 스트레스 상황에 자신은 어찌할 도리가 없다고 인식한다. 반대로 주도적인 성격의 사람들은 자신의 삶을 자신이 통제할 수 있다고 생각한다. 이 두 가지 유형의 차이점을 살펴보면 스트레스를 이겨 내는 능력보다 더 중요한 것은 '문제를 스스로 해결할 능력이 있는지에 대한 자신의 생각'이다.

관련된 다른 연구에서 질병에 대한 대응 방법은 개인의 성격에 따라 차이가 있으며, 대응 방법에 따라 회복의 성과도 다르게 나타났다. 당뇨 환자를 대상으로 한 콕스(Cox) 교수의 연구에서 내향적 성격의 환자들은 외향적 성격의 환자에 비해 인슐린 관리를 위해 보다 주의 깊게 음식을 섭취하고, 위생 관리에도 보다 신경을 많이 썼다. 또한 의사의 지시를 따라 자신의 생활 습관을 규제했다. 이에 비해 외향적 성격의 환자들은 질병에 대해 덜 심각하게 생각하고, 인슐린의 주입 시간이나 식사를 조절하는 것에도 덜 엄격했다.

이처럼 상황에 대한 인식이나 대응 스타일이 질병의 발생이나 진행 과정뿐 아니라 치료나 회복의 과정에도 영향을 미친다. 다음은 스트레스를 좀 더 잘 인식하게 도와주는 기법들이다.

1. *건설적인 자기 대화(Constructive Self-Talk)*: 어떤 상황이나 사건에 처했을 때, 이것을 느끼는 과정에서 스스로에게 던지는 독백이다. 이러한 독백이나 자기 대화의 내용은 긍정적일 수도 있으며 대단히 비판적일 수 있다. 만약 부정적인 자기 대화를 하게 되면 스트레스는 계속되며, 내면의 에너지를 소모하고 발전적 성취를 이루지 못한다.

반면에 건설적인 자기 대화를 하게 되면 심리적으로 긍정적인 결과를 가져오게 된다. 여러 가지 상황에서 활용할 수 있는 정신적 독백이나 건설적 자기 대화의 사례를 〈표 7.3〉에 제시하였다.

2. *신속한 회복(Quick Recovery)*: 이는 스트레스 상황에서 즉시 회복하는 능력을 말한다. 신속한 회복에 도움이 되는 방법은 자신의 스트레스 회복 프로세스를 인식하는 데 있다. 알브레트 교수의 설명에 따르면 스트레스 상황에 자신이 감정적으로 대응하고 있다는 것을 일단 인식하면 감정의 균형을 회복하는 데 도움이 된다. 예를 들면 다른 사람과 갈등 상황이 발생하면 화가 나고 스트레스 반응을 하게 되면 이성적 판단을 하기가 어려워진다. 그러나 어떤 시점에서 고조된 감정이 조금 가라앉으면 자신이 지금 화가 나 있다는 것에 생각이 미친다. 즉, 물리적으로 화를 느낄 뿐만 아니라 화가 나 있는 사실을 알게 된다.

알브레트 교수에 의하면 이 시점에 우리는 분노를 다시 곱씹으며 자신의 입장을 상대방에 더욱 강하게 어필하고, 상대의 부당함에 더 화를 낼 수도 있다. 그러나 '신속한 회복' 기법은 이와 반대로 부정적인 생각의 고리를 끊고, 상대를 이기고자 하는 욕구를 버리고 좀 더 합리적이 되고 정상으로 돌아오는 행위를 말한다.

3. **생각의 정지(Thought Stopping)**: 스트레스 상황에 부정적인 생각이나 태도, 행동을 하고 있음을 인식하자마자 마음속으로 크게 '정지' 하며 빨간 신호등을 상상한다. 그리고 긍정적이고 생산적인 생각을 의도적으로 떠올린다.

4. **생각의 전환(Mental Diversion)**: 문제나 위기 등이 있을 때, 자신이 영향력을 발휘할 수 있는 부분으로 관심을 전환하는 것을 말한다. 퀵(Quick) 교수 팀은 걱정을 중단할 수 있는 방법은 생각을 전환해 보다 긍정적인 면을 생각하는 것이라고 말한다. 예를 들면, 발표나 인터뷰 등을 앞두고 열심히 준비를 하고 난 다음에 일을 걱정하는 것은 에너지만 소모할 뿐이다. 이 때에는 생각을 전환해 보다 즐거운 사항으로 관심을 바꾸면 즐거운 생각이 앞에서의 부정적 생각이 다시 떠오르는 것을 방지해 준다.

감정의 표현과 분출

감정이나 느낌을 자연스럽게 표현하는 능력은 정신적 웰빙에 대단히 중요하다. 감정 표출은 사람에 따라 여러 가지 형태가 있는데, 윈스턴 처칠 영국 수상이나 아담스 미국 대통령의 부인 에비게일 아

〔표 7.3〕 **건설적 자기 대화**

상황	전형적인 정신적 독백	건설적 자기 대화
하루 종일 부담되는 약속과 회의가 예정된 날의 출근길	젠장, 오늘은 왜 이렇지. 골치 아프겠군. 오늘 일을 전부 마무리하지 못하겠군. 오늘 피곤하겠군.	오늘 좀 바쁘겠네. 오늘은 보람 있는 날이 될 것 같아. 오늘 상당히 많은 일을 마무리할 수 있겠지. 오늘 밤은 단잠을 잘 수 있겠군.
세미나 발표 또는 대중 연설을 앞두고	실수하면 어쩌지? 도입부의 내 조크에 웃는 사람이 있을까? 질문을 하면 어쩌지? 나는 대중 연설을 싫어하는데……	도전적 기회가 되겠군. 심호흡을 하고 긴장을 풀어야지. 내 농담을 좋아하겠지. 발표 때마다 조금씩 좋아지고 있어.
심장마비에서 회복중에	거의 죽을 뻔했다. 나는 곧 죽을 것이다. 다시는 일을 하지 못할 것이다. 스포츠를 다시 할 수는 없을 것이다.	나는 죽지 않았다. 나는 위기를 통과했다. 의사는 내가 다시 일할 수 있다고 말했다. 나는 점차 활력을 회복해 스포츠도 할 수 있을 것이다.
직장 상사와의 갈등	그런 인간을 나는 증오한다. 그는 나를 바보로 만든다. 우리는 서로 잘 지낼 수없을 것이다.	나는 그 사람과의 관계가 편안하지 않다. 나는 내 자신을 지킬 수 있다. 잘 지내려면 노력이 필요하다.
출장중에 타이어 펑크가 남	이런 고물 차를 봤나(펑크난 타이어를 보며 차 주위를 돈다). 모든 미팅에 참석할 수 없게 되었군. 희망이 없군.	좋지 않은 시간에 펑크가 나는군(수리를 위해 도구상자를 꺼낸다). 전화를 걸어 약속을 취소해야겠군. 약속 중에서 가능한 것은 처리해야지.

담스는 배우자에게 편지를 쓰는 방법으로 감정을 표출했다. 해리 트루먼 미국 대통령은 자신의 딸이나 부인을 비방하는 글을 게재한 출판사에 신랄하게 화를 내는 편지를 쓴 것으로 알려져 있다. 그러나 그 편지들은 상대방에 도착하지 않았으며, 자신의 파일에 보관되어 있을 뿐이다. 트루먼 대통령은 자신의 감정을 충분히 표출하면서, 상대와의 관계를 손상시키지 않는 방법을 사용한 것이다. 이 편지는 감정 '분출' 의 수단이었다.

감정의 분출은 상대방에게 손상을 가하지 않고도 할 수 있으며, 심지어 유머나 농담으로도 가능하다. 예를 들면, 1990년에 사우스웨스트 항공 사장, 허브 켈러허는 아메리칸 에어라인 사장인 밥 크랜달(Bob Crandall)에게 '존경받는 리더' 의 상을 수여해 달라는 요청을 받자, 서운한 감정을 유머로 분출하며 자신의 역할을 멋있게 마무리했다.

"밥, 제가 오늘 이렇게 당신에게 상을 드리는 역할을 맡게 되어 진심으로 기쁩니다. 그러나 만약 당신이 이 상을 저에게 수여해 주는 자리였다면 더욱 기뻤을 것입니다. 그러나 저는 오늘 수상자 선정위원회의 착오를 용서하려 합니다."

유머와 일기 쓰기는 정신적 웰빙을 위한 대표적인 감정 표출의 수단이다. 뿐만 아니라 분노가 생길 때에도 주변 사람이나 자신의 기분을 손상시키지 않고 건강한 방법으로 표출할 수 있다. 분노나 적개심은 심장의 건강에 치명적인 해를 끼치므로, 경영자가 분노를 경험할 때 이를 적절한 방법으로 표출하는 것이 가슴속에 적개심이 축적되지 않도록 하는 데 중요하다.

사회적 지원의 강화

스트레스를 극복하려는 여러 가지 전략 중에는 자신이 스스로 할 수 있는 것이 있고 다른 사람의 지원을 받아서 해결할 수 있는 것도 있다. 대표적인 것으로 가족, 친구 등 주변의 가까운 사람들에게서 위로받고 격려받는 등의 사회적 지원(social support)이 있다. 연구에 따르면 사회적 지원은 직장이나 인생 전반의 스트레스를 극복하는 데 강한 완충 역할을 한다.

사회적 지원을 받을 수 있는 주된 원천은 가족과 친구들이지만, 직장에서 확립된 지원 그룹, 예를 들어 동기생, 선후배, 동료 및 상사 등의 네트워크도 대단한 가치가 있다.

가족의 지원

대부분의 경우 직장에서 받는 스트레스가 가정에서 발생하는 스트레스의 비중보다 크다. 더구나 직장에서의 스트레스는 대부분 직장 내에 한정되지 않고, 가정으로까지 파급되어 결국 배우자나 자녀 등 가족 관계에까지 부정적인 영향을 미친다. 아울러 급속히 일어나는 사회변화도 가정생활에 점점 더 많은 스트레스를 제공하고 있다.

이와 같이 확산되고 있는 스트레스를 최소화하고, 가정 밖에서의 스트레스가 가족에까지 악영향을 미치는 연결 고리를 차단하기 위해서는 가족 모두가 하나의 그룹으로 노력해야 한다. 즉, 가족간에 화목과 신뢰가 있으면, 직장에서 받는 스트레스를 가족의 정서적 지원으로 해소할 수 있기 때문에 결국 가족 구성원에 부정적 영향을 미치는 것을 막을 수 있다.

가족의 사회적 지원을 연구한 섀퍼(Shaffer) 교수의 연구에 의하면 가족 상호간에 신뢰와 지원적 분위기를 강화하는 초석은 효과적인 커뮤니케이션이다. 언뜻 생각하기에는 가족처럼 가까운 관계일수록 커뮤니케이션이 원활해야 당연하겠지만, 실제로는 그 반대의 경우가 될 수도 있다. 따라서 가족 상호간에도 원활한 커뮤니케이션이 이루어지기 위해서는 서로간에 명료하게 자신의 입장을 말하고, 의미가 애매할 경우에는 오해가 없도록 다시 확인하는 노력이 필요하다.

가족간의 끈끈한 유대를 유지하기 위해서는 상호간의 역할, 존중해야 할 각자의 영역 그리고 갈등 문제 등을 허심탄회하게 논의할 수 있는 장이 있어야 한다. 이것은 단순히 각자가 불만을 토로하거나 가족 중 다른 사람을 탓하는 정도의 수준에 머무는 것이 아니라 갈등의 원인은 무엇이며, 역할 갈등이나 지원에 필요한 시간적 애로 등 구체적인 사항에 대해 서로간에 건설적인 해결책을 논의하는 곳이어야 한다. 또한 가족간에 앞으로 역할 분담은 어떻게 할 것인가, 갈등은 어떻게 해소할 것인가 등에 대한 실천계획까지 수립하는 것이 바람직하다.

직장에서의 지원

가족의 지원에 추가해 직장에서의 지원을 강화할 필요가 있다. 직장에서 사회적 지원을 받을 수 있는 원천으로 가장 중요한 곳이 비공식적인 조직이다. 직장은 지휘와 책임관계, 선후배 관계, 상사와 동료 관계, 상호 경쟁 관계 등으로 복잡하게 얽혀 있는 인간관계가 존재한다. 따라서 직장 내에서 진정한 의미의 지원 그룹(support group)을 구축하는 것이 생각보다 쉽지 않다. 그러나 노력하면 동기생, 선후배, 동아리, 동료 등을 중심으로 지원그룹의 네트워크를 형성할 수 있으며, 일단 구축이 되면 직장에서의 스트레스를 해소하는 데 많은 도움을 받을 수 있다.

직장 내에서 사회적 지원 그룹이 활성화되기 위해서는 다음의 사항을 고려해야 한다. 첫째, 조직에서 책임 있는 위치에 있는 사람은 직장 내에서 사회적 지원 네트워크가 활성화될 수 있도록 조직 분위기를 조성해야 한다. '사회적 지원' 네크워크는 조직 내의 비공식 조직과 비슷한 말이다. 비공식 조직이 활성화되면 구성원들의 스트레스 해소에 도움이 될 뿐만 아니라, 공식조직에서 커뮤니케이션의 벽을 뛰어 넘어 '벽 없는 조직 만들기'에도 기여한다. 따라서 비공식 조직의 목적이 공식조직의 목적을 저해하는 경우가 아니라면 비공식 조직을 활성화시키는 것이 좋다. 둘째, 개인은 조직의 지원 네트워크가 강화될 수 있도록 노력하고, 이를 활용하는 것이 좋다.

다음의 절차들은 스트레스를 겪는 사람이 조직 내에서 사회적 지원을 받기 위해 활용할 수 있는 방법들이다.

1. 직장 내에서 믿을 수 있으며, 나중에 상대에게 이용당하지 않을까 하는 염려 없이 당신의 느낌을 말하고, 자유롭게 대화할 수 있는 사람을 찾으라.
2. 이 사람에게 다가가서 직장에서나 직장 밖의 어떤 문제에 대해 고민하는 부분을 설명하라. 상대방의 도움이 필요하다는 점을 솔직히 말하고, 상대를 좋아하고 믿기 때문에 상대의 의견을 듣고 싶다는 점을 표현하라.
3. 이 사람과의 신뢰 관계를 계속 발전시키도록 노력하고, 특히 당장에는 어려운 문제가 없는 경우에도 상호 긴밀한 관계를 유지하라.
4. 때때로 문제 상황에서 상대방이 감정적인 도움을 주고 있는 관계인지 점검해 보라. 만약 상대가 그러한 도움을 주지 못하는 사람이거나 또는 당신이 봉착하는 문제의 성격이 변해 다른 사람의 지원이 필요한 경우에는 이에 맞는 사람을 찾으라.

흔히 조직의 구성원들은 자신이 가지고 있는 고충에 대해 상사나 회사 차원에서 감정적인 지원(emotional support)을 해 주지 못한다고 느끼고 있다. 만약 조직 차원에서 자신의 애로사항 해결에 지원을 해 주지 못하고 있을 때에는, 자신이 개인적으로 지원 네트워크를 강화하기 위해 적극적인 노력을 해야 한다. 물론 조직 내에서 자신의 개인적인 문제나 욕구를 공개적으로 개진한다는 것이 쉬운 일은 아니다. 그러나 기존의 이러한 조직 문화를 변화시키려는 의지를 가지고 협상을 하고 허심탄회한 대화를 시도하면 효과가 나타난다. 조직의 구성원 개개인이 고충이나 어려움이 있을 때 이를 전적으로 조직에 의존하지 않고 자신이 문제를 해결할 수 있다는 자신감을 갖는 것은 매우 중요하다. 아울러 직장에서 어려움이 있을 때 이를 혼자서 해결하기가 쉽지 않으면 전문가의 도움을 받기 위한 노력도 할 필요가 있다.

1. 정신적 건강을 유지하는 데 필요한 첫 번째 단계는 이에 대한 중요성을 인식하는 것이다.
2. 일과 개인 생활의 균형 그리고 생활습관의 관리는 정신건강에 필요하다.
3. 업무적인 목표 달성뿐만 아니라 휴식을 위한 시간을 할애하는 것도 삶의 균형과 건강 유지에 필수 사항이다.
4. 육체적 이완과 긴장완화에는 기도, 명상 등 여러 가지 방법이 사용될 수 있다.
5. 상황을 인식 또는 지각하는 방법과 감정을 건강하게 표출하는 방법을 습득하는 것은 정신적 웰빙에 도움이 된다.

8장

영적 활력

> 육체의 배고픔과 목마름을 충족하는 데에는 그렇게나 신속한 우리들이지만, 영
> 혼의 배고픔과 목마름을 충족하는 데에는 얼마나 게으른가!
>
> — 헨리 데이비드 쏘로(Henry David Thoreau)

    지난 반세기 동안 우리들은 직장이나 개인의 삶에 굉장한 변화를 가져왔다. 1950년대를 돌아보면, 당시에 성공한 기업인들의 소망은 교외에 큰 집을 가지고, 아내는 집에서 가정을 가꾸며, 3~4명의 자녀를 두고, 자신은 한 곳의 직장에서 은퇴할 때까지 오래도록 근무하는 것이었다. 그러나 오늘날은 어떠한가? 이러한 꿈과 소망은 더이상 오늘날의 현실과는 맞지 않는다. 과거에는 가정을 지켰던 여성들이 이제는 남성 못지않게 직업을 갖는 비율이 급격하게 증대했으며, 남성의 입장에서도 자신의 아내가 직장에서 자신과 동일하게 경력을 발전시키고 경제활동을 해 주기를 기대한다. 자녀를 갖지 않거나 갖는 경우에도 1~2명으로 줄어들었고, 집도 교외의 전원주택보다 도심의 고층 아파트에서 사는 경우가 대부분이다.

지난 50년간 일어난 이러한 변화는 물질적, 재정적 부분에서 많은 필요를 충족시켜 주었지만, 정신적으로는 오히려 삶의 공허감을 심화시켰다. 경제적, 물질적으로는 소망했던 것들의 대부분을 얻었지만 정신적으로는 여전히 무엇인가 충족되지 않은 부족감을 가지고 있으며, 오히려 부족감이 더 커지고 있는 것이다.

물질적 풍요가 확대되고 있음에도 불구하고 정신적인 공허감이 증대되는 원인은 무엇일까? 학자들은 인간에게 필요한 고차원적인 욕구, 즉, 영혼의 성장에 대한 욕구가 충족되지 못하기 때문이라고 한다. 이것은 개인의 삶이나 직업에서 영적 욕구가 충족되지 않고서는 인간의 내면적 공허감을 메울 수 없다는 것을 의미한다.

전인적으로 건강한 리더

전인적 건강을 확립하기 위해서는 우선적으로 육체적 건강을 강화해야 한다. 육체적 건강을 기초로 다른 소망하는 것들을 쌓아올릴 수 있기 때문이다. 경영자와 관리자들이 조직에서 중요한 프로젝트를 추진하고자 하는 경우에도 자신의 건강이 확보되지 않으면 불가능하게 된다. 따라서 경영자와 관리자가 건강관리에 핵심적인 활동 즉, 운동과 다이어트 등의 활동을 위해 일터에서 벗어나는 시간은 낭비가 아니라 충분한 투자의 가치가 있는 시간이다. 경영자가 자신의 건강 강화 문제에 관심을 기울이고 투자를 하는 것은 조직을 보다 잘 이끌기 위해 역량을 증진하는 것과 같다.

경영자와 관리자들이 일단 자신의 육체적 건강을 확립하고 난 다음에야 비로소 정신적인 건강을 증진하는 활동에 집중할 수 있다. 리더의 정신적 건강이 조직 전체의 분위기를 좌우하게 되므로, 만약 리더가 의심이 많거나 편집증이 있는 사람이면 조직 분위기도 그렇게 되며, 반대로 리더가 정서적으로 안정적인 중심을 잡고 있으면 조직 전체가 안정적인 분위기로 되어 간다.

전인적 건강 확립에 간과할 수 없는 것이 영적인 건강 즉, 영성의 강화다. 영성(spirituality)은 그 개념을 한마디로 정의하기가 어려우며, 사람에 따라 다르게 정의하고 있다. 영성은 대단히 개인적이고 인간적인 이슈인 것이다.

영성은 세상의 모든 것이 우연이라기보다 서로 연관되어 있으며, 인간의 힘으로 알 수 없는 초자연적 능력이 존재함을 의미한다. 또한 영성은 현재의 어떤 일이 어렵더라도 반드시 잘 될 것이며, 인간은 세상에 좋은 일을 하기 위해 존재한다고 생각하는 믿음이다. 영성은 남에 대한 배려, 희망, 친절, 사랑, 낙관주의를 가져온다.

육체적 건강과 정신적 건강 없이 영적인 건강을 확립하는 것은 대단히 어렵다. 미트로프(Mitroff)와 덴톤(Denton)은 영성이 인생에 목적과 의미를 제공하는 근본적인 원천이라고 했다. 영성은 시간을 초월해 포용적이고 보편적인 특성이 있으므로, 특정 종교에 한정되지 않으며, 형식에 구애받지 않는다.

경영자의 삶에서 영적인 활력과 충족감은 삶의 깊이를 더해 준다. 이것은 단기적인 관점에서 일의 목표와 의미를 부여하는 차원을 넘어서 보다 큰 삶의 목표를 잊지 않게 해 준다. 경영자와 관리자가 영적인 건강을 가지고 있게 되면 그것은 개인의 영적 건강뿐만 아니라 조직 구성원들의 삶의 질을 개선하는 데 도움이 된다.

앤드류 카네기(Andrew Carnegie)

역사적으로 가장 위대한 경영자였던 앤드류 카네기는 기업을 경영하면서 영적인 활력을 유지하고 사회적인 책임을 다한 사람으로 유명하다. 카네기는 스코틀랜드의 가난한 집안의 장남으로 태어나 12살 때 남동생과 함께 부모를 따라 미국으로 이민을 왔다. 펜실베이니아에 도착한 그의 아버지는 직장을 구하지 못해 결국 집에서 옷감을 짜서 이를 집집마다 방문판매해 생계를 유지했다. 카네기도 생활을 돕기 위해 1주일에 1달러 20센트를 받고 방직공장에서 실을 잡아 주는 일을 했다.

그는 누구에게나 기회가 주어지는 미국에서 자신의 기회를 갈고 다듬었다. 영국의 고착화된 사회적 계층제도와 달리 미국에서는 누구나 열심히 하면 경제적으로 성공을 거둘 수 있다는 것을 느끼고, 카네기는 각오를 다졌다. 카네기가 처음으로 배당금을 받았던 1856년부터 카네기 철강을 J.P. 모건이 4억 8천만 달러에 인수했던 1902년까지 카네기는 돈을 벌기 위해 동분서주했다. 그러나 그에게 있어서 돈은 자신이나 가족, 친구 및 지역 사회를 위한 수단일 뿐 최종 목적이 아니었다.

1889년에 카네기는 경제적 부를 '복음을 위한 부(gospel of

wealth)'라고 불렀다. 카네기는 자본주의 제도 속에서 경제적 활동으로 부를 축적하게 되는 것은 당연한 결과라고 생각했다. 아울러 그는 자신이 돈을 버는 것은 자본주의와 수많은 사람이 얽혀 있는 사회의 상호 작용의 결과라고 생각했다. 아울러 모은 돈에 대해 자신은 사회에 환원하기까지 관리의 책임을 맡은 대리인이어야 한다고 생각했다. 이것이 전제가 될 때 돈을 많이 축적하는 것이 축복이 될 수 있다고 주장했다.

카네기 자선사업의 첫 번째는 지금까지 잘 알려져 있는 도서관을 짓는 것이었으며, 그 외 생활이 어려운 회사 직원들을 돕기 위해 1901년에 설립한 '앤드류 카네기 자선기금', 연구와 발명을 촉진하기 위한 기금으로 만든 '워싱톤 카네기 연구소', 국가를 위한 영웅적 활동을 하다가 다친 사람이나 그 가족들을 돕기 위해 설립한 '카네기 영웅기금' 등이 있다. 위에서 소개한 4개의 기금과 다른 수많은 활동을 통해 카네기는 일생 동안 3억 5천만 달러 이상을 사회에 환원했다.

영성과 종교

기업이나 다른 조직에서 영성(Spirituality)의 가치를 강조할 때 이것은 종교(Religion)를 말하는 것이 아님을 유의해야 한다. 종교 문제는 직장에서 다루기에 적절하지 않기 때문이다.

종교는 우주적인 영적 의문과 인간 존재의 의미에 대한 해결책을 제시하기 위해 구조화된 믿음 체계라고 할 수 있다. 종교는 조직화되어 있으며, 믿는 사람에게 특정의 믿음 체계를 따르기를 권하고 있다. 모든 사람은 자신이 선택한 종교에 따라 종교활동을 할 수 있으며, 이것을 직장에서 숨긴다고 해 불이익을 받을 일은 아니다.

영성은 종교와 다르다. 그것은 삶의 목적, 희망 그리고 상호관계와 관련된, 보다 넓은 의미의 개념이다. 직장에서 영성의 가치는 동일한 일터에서 모든 사람이 각자 자신의 종교를 가지면서도 함께 연합해 스스로의 삶의 의미를 추구하는 것에 있다. 영적인 건강을 유지하고 있는 조직에서 직원들이 출근하는 목적은 단지 그날의 일과를 완수하고, 월급을 받기 위해 출근하는 것이 아니다. 일을 통해 보다 본질적인 삶의 의미를 추구해 가는 과정이라고 생각하는 것이다.

영적으로 건강한 조직에서 일하는 사람들은 자신이 하루하루 하는 일이 단순히 당면 목표를 완수하는 것에 그치지 않고, 그 이상의 목표를 달성하는 데 기여하는 가치 있는 활동이라고 생각한다. 그것은 직원들이 자신의 이기적인 목표 이상으로 사명감을 가지고 근로에 의미를 부여하는 것을 말한다.

사람들이 직장에 다니는 이유에는 경제적 목적도 있다. 기업을 경영하거나 또는 다른 직업활동을 하다 보면 운 좋게도 상상 이상의 성공을 거두는 사람이 있다. 경제적인 면에서 이들은 이제 부족함이 없이 무엇이든 즐길 수가 있다. 그러나 중요한 것은 아무리 경제적으로 부족한 것이 없는 상태가 되어도 삶은 여전히 만족스럽지 않을 수 있다는 점이 영적 건강의 중요성을 말해 준다. 이를 뼈저리게 경

험한 사람이 록펠러인데 그는 이 사실을 알고 나서 자신의 생명까지
도 구할 수 있었던 사람이다.

존 록펠러

존 록펠러(John D. Rockefeller)의 삶을 살펴보면 한 인간
이 돈을 벌기 위해 그리고 축적된 부를 보존하기 위해 얼마나
집착할 수 있는지 잘 알 수 있다. 카네기와 달리 록펠러는 사업
을 하는 것은 돈을 버는 것이 목적이며, 부를 축적하는 것은 그
자체가 인생의 목적이라고 생각한 사람이다. 따라서 그는 젊은
시절에 이미 엄청난 돈을 벌었지만 가족이나 친구, 지역 사회에
자신의 돈을 쓴다거나 기부할 생각은 아예 하지도 않았다. 그의
관심은 오로지 더 많은 돈을 벌고, 이 돈을 한 푼도 쓰지 않으려
는 데 있었다. 이것이 록펠러 인생의 전반부의 모습이었다.

이렇게 돈 벌기에만 집착해 살아왔던 록펠러는 53세가 되었
을 때 소화가 되지 않는 등 건강이 심각하게 나빠져서 거의 죽
음의 문턱에까지 이르렀다. 몸무게가 심하게 줄어들고, 머리카
락과 눈썹이 빠지는 등 건강이 극도로 악화되었다. 당시 의사들
이 록펠러에 권할 수 있는 음식은 몇 개의 크래커와 우유가 전
부였으며, 그는 거의 서 있기조차 힘들 지경이었다.

무엇 때문에 한창 활동할 나이의 사람이 생명의 위협을 받을
정도로 건강이 나빠졌을까? 결국 사업을 경영하면서 영적인 목

표가 없이 돈 벌기에만 집착한 나머지 걱정과 스트레스를 해소할 방안이 없었기 때문이다. 그는 23세 때 이미 돈을 버는 일에 완전히 빠져 있었다. 그는 항상 기분이 무거웠는데, 그렇지 않은 순간은 유일하게 돈을 버는 순간뿐이었다. 잠자리에 들어서도 벌어 놓은 돈을 잃지나 않을까 전전긍긍하며 밤을 지새웠다. 벌어 놓은 돈이 없어지면 어쩌나 하는 걱정 속에 지냈는데, 심지어 한해 50만 달러의 수익을 달성했을 때에도 단돈 150달러를 잃어버리고는 이틀 동안 잠을 자지 못하기도 했다.

록펠러 자신은 다른 사람들에게 사랑받기를 원했지만, 돈에 대한 집착 때문에 사람들은 그를 멸시하고 가까이 하지 않았다. 심지어 자신의 회사인 '스탠더드 오일'의 직원들도 그를 증오하고, 협박하는 편지를 보낼 정도였기 때문에, 록펠러는 신변보호를 위해 경호원을 고용했다. 당시에 백만장자였던 J. P. 모건 같은 다른 기업인들은 록펠러의 그러한 인간 됨됨이를 멸시한 나머지 가능하면 그와 사업상의 거래까지도 하지 않으려 했다. 심지어 그의 친동생도 형을 미워한 나머지 죽어서도 록펠러가 묻혀 있는 묘지에 같이 묻히기를 거부했다. 록펠러에 대한 주변 사람의 이러한 거부감과 그의 돈에 대한 집착이 그를 53세에 죽음 직전까지 몰고 갈 정도로 건강을 악화시킨 배경이었다.

록펠러의 건강 상태를 진단한 의사들은 당장에 걱정을 중단하고 정신적 여유를 찾지 않으면 사망할 것이라고 그에게 경고했다. 다행스러운 것은 록펠러는 이 경고를 절실하게 받아들였고, 이때부터 삶의 태도를 완전히 바꾸기 시작했다는 것이다.

먼저 그는 자신의 삶을 되돌아보고, 다른 사람과의 관계를 그동안 어떻게 해 왔는지를 반성했다. 이 과정을 통해 그동안 축적한 돈이 엄청나게 많지만 결코 돈으로는 자신이 행복해질 수 없다는 것을 깨달았다.

이때부터 그는 수백만 달러의 재산을 사회에 기부하기 시작했다. 이후부터 수많은 사람이 록펠러의 기부에 혜택을 입었지만, 가장 큰 혜택을 입은 사람은 록펠러 자신이었다. 그는 중년에 이르러서야 돈에 대한 사랑이 결국 그를 파괴시킨다는 것을 알게 된 것이다. 그는 근심과 소외감 등을 뼈저리게 경험하고서야 인생에는 돈 이상의 무엇이 있다는 것을 알게 되었다.

록펠러가 그의 거대한 부의 제국을 건설한 것은 20세기로 넘어오는 무렵이었고 록펠러와 동시대 기업가들은 철저한 기업가 정신으로 거대한 부를 쌓았다. 오늘날 그 정도로 거대한 기업을 일으키고 부를 쌓았다면 언론의 집중적인 조명을 받았을 것이다. 따라서 오늘날의 기업가들은 회사가 나아가야 할 방향을 결정하는 데 있어서 고려해야 할 사항들이 더 많아졌다고 볼 수 있다. 이들은 직원들과 커뮤니티가 바라는 정신적인 욕구를 충족시켜줘야 한다는 것을 절실히 느끼고 있는데 이는 어쩌면 사업에 방해요소가 될 수도 있다. 다음에 소개하는 투르트 캐시의 사례는 직원들의 정신적인 욕구를 충족시켜 주면서도 사업의 경쟁력을 잃지 않은 대표적인 사례이다.

투르엣 캐시

세계적으로 알려진 패스트푸드점 하면 맥도날드, 웬디스, KFC 등을 우선 연상하게 된다. 그러나 근래에 새롭게 부각되는 회사로 '칙-필-에이(Chick-fil-A)'가 있으며, 이 회사의 CEO가 투르엣 캐시(Truett Cathy)이다.

이 회사는 미국 40여 개 주와 남아프리카에 걸쳐 900개 이상의 지점을 운영하고 있으며, 연간 매출액이 10억 달러가 넘는다. 이 회사가 좀 특별한 이유는 다른 패스트푸드 회사가 1주에 7일 영업을 하는 것과 달리 1주에 6일만 영업을 하는 것이다. 일요일에는 문을 닫는다는 방침은 50년 전에 결정되었는데 지금까지 계속 이어져오고 있다. 패스트푸드 업계는 일요일의 매출이 전체 매출의 20%를 차지하기 때문에, 일요일에 영업을 하지 않는다는 것은 사업을 하지 않겠다는 것과 다를 바가 없다.

'칙-필-에이'가 일요일에 영업을 하지 않는 이유는 직원들의 영적 활동에 대한 배려 때문이다. 캐시의 생각에는 일요일에는 직원들이 교회도 가고, 가족과 함께 휴식을 취할 필요가 있다는 것이다. 그는 기업을 이러한 방식으로 경영하게 되면 직원들은 더욱 행복해지고 나아가 회사에 대한 충성심도 증대하게 된다고 믿고 있다. '칙-필-에이' 직원들의 이직률이 다른 회사에 비해 가장 낮은 것도 이와 관련이 있다.

트루엣 캐시는 열심히 일하고 성경의 말씀을 지키며, 남을 위해 봉사할 수 있는 삶이 인생의 성공과 행복을 가져오는 데 초석이 된다고 믿었다. 이 회사의 미션은 '우리에게 맡겨진 모든 것의 관리인으로 충성스럽게 일해 하나님께 영광을 돌리고자 하며, 우리와 인연이 된 모든 사람에게 긍정적인 인연을 미치는 것'이다. 이러한 믿음의 실천 모습은 일요일에 사업장의 문을 닫는 것 외에도, 매년 100만 달러 정도의 장학금을 기부하는 것에서도 드러난다.

또 다른 활동으로 캐시가 추진하고 있는 것에는 청소년 후원이 있다. 매년 수백 명의 학생들에게 연간 1만 달러 정도의 장학금을 계속해 지급해 오고 있으며, 심지어 가난한 집의 어린이가 부모와 함께 살 수 있도록 집을 마련해 주는 프로그램을 운영해 오고 있다.

영적으로 활동적인 리더들이 사회에 끼친 영향

이 장에서 소개했던 몇 가지의 사례들을 통해 경영자들이 영적으로 활동적이고, 기업의 목적이 돈을 버는 데에만 있지 않다는 것을 인식하는 경우 그 결과가 경영자 자신뿐만 아니라 모든 사람에게 도움이 된다는 것을 볼 수 있다.

역사적으로 수많은 리더들이 자신의 이기적인 목적을 추구하는 것을 뛰어넘어서, 인류의 복지와 행복에 기여하기 위한 영적인 것에 의미를 두고 삶을 살았다. 다음에 소개하는 사례들도 이 세상을 좀 더 살기 좋은 곳으로 만들기 위해 돈을 쓰고 자신의 영향력을 발휘한 사람들이다.

데이비드 토마스

데이비드 토마스(David Thomas)는 레스토랑 체인 회사인 웬디스(Wendy's International)의 CEO이다. 그가 유명한 것은 성공적인 기업의 CEO이기 때문만이 아니라 다른 두 가지 이유가 더 있다. 첫째는 입양이라는 개인적 스토리이고, 둘째는 교육에 대한 중요성의 인식이다.

그가 입양에 대해 특별한 의미를 갖게 된 배경은 토마스 자신이 입양아로 성장했기 때문이다. 13살이 되었을 때에야 비로소 자신이 입양된 사실을 알게 되었는데, 처음에는 왜 이때까지 입양 사실을 알려 주지 않았느냐고 양부모를 원망했다. 자신을 입양한 양부모에게 감사하는 마음도 있었지만, 그는 친부모를 찾아서 만나고 싶은 소망을 버리지 못했다.

이로부터 수십 년이 지난 후 그가 성공한 경영자로 웬디스의 CEO가 되어 있을 때, 부시 대통령이 그에게 입양을 기다리는 어린이들을 위해 의미 있는 활동을 해 줄 것을 요청했다. 그에게는 이 제안이 특별한 의미로 받아들여졌다. 우선 '웬디스'의 직원들이 입양을 하는 경우 회사에서 보조금과 휴가를 제공했다. 그리고 미국의 1,000개 대기업들의 CEO들에게 웬디스와 동일한 정책을 추진해 주도록 설득했다.

토마스의 두 번째 사연은 교육이다. 그는 고등학교 1학년 때 학교를 자퇴했는데, 그 이유는 학교 교육이 레스토랑 경영자가 되고 싶은 자신의 꿈을 달성하는 데 도움이 되지 않는다고 판단했기 때문이다. 그러나 성인이 되어 기업의 경영자가 되고 보니, 교육의 가치를 새롭게 인식하게 되었고 고등학교를 자퇴한 것이 후회되었다. 따라서 젊은 세대들이 자신과 같은 전철을 밟지 않도록 설득하고, 공부를 끝마치는 데 필요한 지원을 아끼지 않았다. 그는 듀크(Duke) 대학교에 상당한 규모의 재정 지원을 했다. 듀크 대학교는 이를 기념하기 위해 경영대학에 '데이비드 토마스 센터'를 설립했으며, 이 센터는 오늘날에도 경영자들을 훈련하는 프로그램을 운영하고 있다.

존 템플턴

월 스트리트에서 45년간 활동했던 투자자, 존 템플턴은 세 가지로 유명한 사람이다. 첫째 겸손한 마음, 둘째 역발상주의 그리고 믿기 어려울 정도의 큰 성공이다.

그의 겸손한 자세는 고객의 진정한 욕구에 대한 통찰력을 가질 수 있게 해주었다. 템플턴은 고객들이 투자를 통해 이익을 얻기 바라지만 동시에 힘들게 모은 돈을 1~2개의 주식에 모두 투자하는 모험은 원하지 않는다는 것에 착안하여, 투자 전략을 국제적인 규모로 확대했다. 이것 역시 그를 역발상주의자라는 이름을 얻게 했다. 왜냐하면 그의 방법은 당시의 보편적인 투자 전략과 반대되는 접근이었기 때문이다. 그러나 그의 투자 전략은 45년 동안 매년 15%의 성장을 이루는 큰 성공을 거두었다.

그는 국제적인 투자자로서 성공했을 뿐만 아니라, 젊은 시절에 이미 프린스턴신학교(Princeton Theological Seminary)의 이사장이 되는 등 사업 외에도 엄청난 기여를 했다. 프린스턴 신학교의 이사장 직책을 수행하는 동안 그는 과학과 종교 두 영역에서 발전 상황을 비교하게 되었고, 두 영역의 지식에는 굉장한 차이가 있다는 것을 발견하게 되었다. 이사로 있는 30년 동안 그는 특히 신학의 발전이 너무나 정체되어 있다고 느꼈다. 심지어 '모든 신학적 의문에 대한 해답은 이미 과거에 제시되었기 때문에 새로운 생각을 할 가치가 적다'는 당시의 사회 분위기를 전적으로 부인하기가 어려울 정도였다.

이런 시대에 종교적 연구를 촉진하기 위해 그는 1972년에 '템플턴 상'을 설립했다. 이 상은 그 해에 진행된 종교에 대한 연구 중에서 가장 큰 기여를 한 사람에게 1백만 달러의 상금을 수여하는데, 첫 번째 수상자가 테레사 수녀(Mother Teresa)였다. 그녀는 세계의 가장 가난한 나라에서 죽어가는 사람들의 위안을 위해 자신의 삶을 희생한 사람이다.

템플턴은 1987년에 '존 템플턴 재단'을 설립하고 이를 통해 인간의 도덕적, 영적 차원의 중요성을 확산하는 활동을 지원하기 시작했다. 이 재단은 현재 150개가 넘는 프로젝트와 연구, 출판 활동 등을 지원하고 있다.

대학시절 로즈 장학금을 받아 옥스포드 대학교에서 공부했던 템플턴은 40년이 지난 후, 자신이 받은 혜택을 갚기 위해 옥스포드에 경영대학인 '템플턴 칼리지'를 설립하기도 했다. 이 외에도 그는 과학과 종교의 두 영역을 관통하는 진리를 탐구하는 프로젝트 등의 수많은 활동에 기여를 했다.

빌 게이츠

컴퓨터를 사용하는 사람이라면 누구나 빌 게이츠의 이름을 들어 보았을 것이다. 그는 마이크로소프트사의 창업자이며, 창립 이후 지금까지 회사 성장에 견인차 역할을 한 사람이다. 빌 게이츠는 사업을 경영함에 있어서 대단히 공격적이며, 성격도 대단히 경쟁적인 사람으로 잘 알려져 있다.

그러나 빌 게이츠는 동시에 박애주의를 실천하는 사람으로도 유명하다. 그는 자신의 아내와 함께 '윌리엄 멜린다 게이츠 재단(William and Melinda Gates Foundation)'을 설립했다. 이 재단이 특별한 이유는 이곳에서 기부하는 돈의 규모에 있다. 2004년 말 현재까지 약 250억 달러를 기부했는데, 이 금액은 역사상 가장 큰 규모이다. 빌 게이츠의 이러한 사회 기부 활동은 부모님의 영향을 받은 것으로 보인다. 아버지와 어머니 두 사람 모두 유나이티드 웨이(United Way)라는 사회봉사 조직의 이사와 지도자로서 평생 동안 활발한 활동을 했다.

빌 게이츠가 이와 같이 사회기여 활동에 열심을 다하게 된 데에는 부모님 외에도 '존 록펠러', '앤드류 카네기', '헨리 포드' 그리고 '데이비드 패커드' 등 역사상 성공한 경영자들의 삶의 모습이 영향을 미쳤다고 할 수 있다. 이들은 석유, 철강, 자동차 그리고 기술 분야에서 엄청난 돈을 축적한 후에 이 재산을 인류의 발전을 위한 활동에 기부하는 것으로 삶의 마지막을 장식했다. 이들이 설립한 재단들은 창설자가 사망한 후에도 오랫동안 인류에게 유익한 활동을 계속하고 있다.

빌 게이츠 부부가 설립한 '윌리엄 멜린다 게이츠 재단'이 중점적으로 활동하고 있는 분야는 건강과 교육이다. 건강증진 관련 프로젝트에 지원한 금액은 이미 30억 달러가 넘어섰으며, 여기에는 AIDS 백신 개발 등이 포함되어 있다. 기부금 중에서 특별한 성격을 가진 것에는 세계보건기구와 세계은행과의 파트너십에 의해 추진된 '어린이 백신' 개발에 지원한 7억 5천만 달러가 있다.

교육에 대한 지원에는 20년간에 걸쳐 미국 흑인대학생을 위한 장학금으로 10억 달러를 기부했다. 이외에도 수많은 도서관들의 인터넷 연결을 위해 2억 달러를 지원했다. 워싱턴 대학교는 1,200만 달러를 지원받아 도서관을 건립했는데 도서관 이름을 게이츠의 아버지 이름으로 작명했다. 이와 비슷한 사례로 게이츠의 아내가 졸업한 텍사스에 있는 유슬린 대학교는 1백만 달러 그리고 캠브리지 대학은 2천만 달러를 지원받아 컴퓨터 센터를 설립했다.

비록 빌 게이츠의 박애활동이 수많은 조직들을 도와왔지만, 사회에 대한 그의 가장 큰 영향은 그가 설립한 회사에 의해서였다. 마이크로소프트사는 빌 게이츠의 개인적 활동을 본받아 회사 차원에서도 사회에 베푸는 정책을 계속 추진해오고 있다. 2001년 한 해에 '마이크로소프트 후원프로그램(Microsoft's Giving Program)'은 2억 1천 5백만 달러의 기부를 했다.

결론

역사를 통해 수많은 사람들이 위대한 일을 달성할 수 있는 비전과 능력을 가진 조직을 만들어 왔다는 것을 알 수 있다. 8장에서는 영적으로 살아 있는 조직을 이끌어 왔던 많은 사람들의 사례를 보여주고 있다. 이들의 비전은 조직의 목적이 재정적으로 성공하는 것뿐만 아니라 그 재정적인 성공을 인류사회의 발전을 위해 사용하는 것이었다. 이들은 자신의 직업적 성공을 판단하는 기준으로 조직 전체 구성원의 삶의 개선과 아울러 조직이 속한 지역 사회의 발전에 기여를 하는 것이었다.

8장 정리

1. 조직의 영적 건강을 달성하기 위해서는 리더 자신이 육체적, 정신적으로 건강해야 한다.

2. 조직이 지속적으로 존속하기 위해서는 재정적인 안정이 필요하다.

3. 조직의 리더와 구성원들은 영적 활동과 종교의 차이점을 이해해야 한다.

4. 리더가 영적으로 건강해야 조직도 영적으로 활력 있는 분위기가 될 수 있다.

5. 직장이 영적으로 건강한 조직이면 지역 사회 전체가 영적으로 건강해질 수 있다.

9장

윤리적 성품

삶에 있어서 중대한 결정을 해야 하는 순간에 어떤 판단을 할 것인가는 그동안

별로 중요하지 않은 듯한 수많은 사항들에서

어떤 결정을 했는지에 따라 미리 정해져 있다.

지나온 세월 동안 사소하게 생각되던 순간순간에, 양심과

'그것은 별로 중요하지 않아' 라고 속삭이는 내면의 유혹 사이에서

어떤 선택을 해 왔는지에 의해 결정되는 것이다.

— 로널드 레이건

리더가 내면적으로 어떤 사람인지 조사를 받게 될 일은 별로 없겠지만 진정으로 '건강한 사람' 의 의미에는 성품에 대한 검토가 포함되어 있다. 육체적으로, 정신적으로 그리고 영적으로 건강하다는 것만으로는 충분하지 않다. 인생을 최고로 살기 위해서는 성품의 문제가 반드시 고려되어야 한다. 다행스러운 소식은 성품도 육체나 정신과 마찬가지로 개발하고 증대시킬 수 있다는 것이다.

살아가면서 우리는 인생에 전환점이 되는 의사결정의 순간들을 수없이 많이 경험해 왔다. 특히 중요했던 결정들은 세월이 흐른 지금에도 어렴풋이 기억이 난다. 어떤 것은 잘한 결정으로 만족스럽게

자부심으로 기억되는 것도 있고, 또한 잘못된 결정 때문에 실패로 기억되는 것도 있다.

잘한 결정과 잘못한 결정의 공통점은 둘 다 지금 현재의 우리 자신이 어떤 사람인지에 영향을 미쳤다는 점이다. 그러나 앞에서 소개한 레이건 대통령의 말과 같이 우리의 성품은 중요했던 의사 결정으로부터만 영향을 받는 것은 아니다. 오히려 우리의 성품은 나날이 발생하는 아주 사소한 일들에 대해 어떠한 결정을 내리는지에 의해 조금씩 형성되어 간다. 조그만 일들에 대해 내려진 결정들이 모여서 성품이 형성되고, 이것은 우리의 삶에 큰 영향을 미칠 중요한 상황이 생겼을 때 비로소 올바른 결정을 할 수 있는 바탕이 된다.

정직성

그동안 성품의 개념이나 의미에 대해 학문적으로 많은 주장이 있어 왔는데, 성품(character)은 성격(personality)과 대비되는 개념이라고 설명하는 사람이 많다. 이들은 성격은 밖으로 드러난, 외형적 특성을 말하는 데 반해 성품은 마음속의 내면적 사람됨을 의미한다고 주장한다. 또 다른 사람들은 성품과 성격은 비슷한 개념으로 교환적으로 사용할 수 있는 개념이지만, 다만 성품은 도덕성을 내포한 개념이라고 덧붙인다. 즉, 성품은 도덕적인 성격을 의미한다고 할 수 있다. 논의의 목적을 위해 윤리적 성품을 '정직성(integrity)'이라고 하고자 한다. 정직성은 '생각이나 태도가 건전하고, 모든 사람에게 자신의 본질적 생각이나 태도를 표현하는 것'이다. 정직성은 일반적으로 그 의미가 제대로 이해되지 않고 있는데, 그 이유는 많은 사람들은 정직성의 의미를 나쁜 일에 대한 유혹에 넘어가지 않는 것으로 생각하기 때문이다.

그러나 정직의 진정한 의미는 불의한 행동을 하지 않는 것에 그치지 않고, 자신의 신념에 합당한 일을 위해서는 불의한 행동에 맞서는 것을 포함한다. 즉, 유혹에 넘어가지 않는 소극적 수준을 넘어서 불의에 맞서는 적극적 수준을 정직성이 있다고 할 수 있다.

조직생활을 하다 보면 흔히 정직한 사람은 융통성이 없다거나 팀 플레이어가 못 된다는 견해들이 있다. 그러나 자신이 옳다고 생각하는 가치나 신념을 벗어나는 행동에 대해 융통성 있게 협조하지 않는 사람을 팀 플레이어가 아니라고 할 수는 없다. 오히려 원칙을 준수하려는 이러한 신념은 협상으로 변경시킬 수 없는 자신의 가치를 지키고자 하는 정직한 사람으로 이해되어야 한다.

전인적 성격

전인적 성격(personality integration)의 의미는 정직성과 본질적으로 관련되어 있다. 전인적 성격은 균형을 갖춘 성격을 말하는데, 이것은 건전한 원칙을 가지고, 정신적으로 충분한 자율성을 가진 가운데, 삶에서 이러한 원칙들을 실천하는 것을 말한다. 간단히 말해 그것은 전체적으로 정신적인 완결성을 갖춘 개인을 말한다.

전인적 성격을 개발하려는 경우에 고민되는 것은 스트레스가 심하게 느껴지는 경우, 예를 들어 참을 수 없을 정도로 화가 나는 상황에서도 '감정의 표출을 억제해야만 하는가'의 문제이다. 흔히 고결한 성격을 가진 사람은 견디기 어려운 감정이 생겨도 이를 마음속으로 삭이고 밖으로 분출하는 것을 억제해야 하며, 나아가 나쁜 감정을 잊어버리거나 무시해야 한다고 생각한다.

그러나 감정 억제의 영향에 대해 많은 연구를 한 제임스 페니베이커(James Pennebaker)에 의하면, 감정 표출을 하지 못하고 억제하면 이것은 결국 신체적, 정신적으로 대가를 치르게 된다. 자신의 생각이나 감정, 행동을 억제하게 되면 우선 심장박동이나 호흡이 빨라지는 등 즉각적인 생리적 변화를 가져오게 된다. 뿐만 아니라 감정 억제 행동은 시간이 지나면서 서서히 신체에 스트레스를 누적시키고, 스트레스와 관련된 신체적, 정신적 질환을 초래할 가능성을 증대시킨다. 따라서 감정 표출을 억제하는 정도가 심할수록 신체에 미치는 부정적 영향은 커진다.

감정 억제는 건강에 미치는 영향뿐만 아니라, 생각하는 능력까지 제한시킨다. 감정 억제로 인한 스트레스는, 어렵고 복잡한 문제에 대한 사고의 능력을 제약하게 되어, 우리가 문제를 넓게 보고 상황을 통합적으로 판단하는 것을 어렵게 한다. 이것은 우리가 어려움에 봉착했을 때 다른 사람과 대화를 통해 의견을 들어 볼수록 문제 상황을 보다 깊이, 객관적으로 이해할 수 있다는 것을 의미한다.

감정을 억제하는 것은 모든 사람에게 힘든 일이지만 특히 조직의 리더들에게는 더 어려운 과제가 될 수 있다. 3장에서 살펴본 바와 같이 경영자나 관리자들은 조직에서 직원들과 근무장소가 분리되어 고립되는 경우가 많다. 이러한 장소적 고립은 리더들에게 감정을 표출할 수 있는 기회를 줄어들게 한다. 이 제약 상황을 극복할 수 있는 효과적 방법으로 페니베이커는 글쓰기를 제시한다. 견디기 어려운 감정을 글쓰기로 대신함으로써 힘들게 감정을 억제하여 얻은 부작용을 예방하고, 현실을 다시 생각할 수 있는 여유를 찾을 수 있다.

미국의 전 대통령 지미 카터는 감정을 억제함으로 인하여 육체적인 대가를 치룬 대표적인 사람이다. 4년 동안의 백악관에서 겪은 스트레스와 감정적 부담은 그에게 다른 사람보다 노화가 일찍 찾아오는 원인이 되었다. 그는 모든 일을 직접 챙겨야 하는 꼼꼼한 성격 때문에 나라 전체에서 생기는 소소한 일까지 신경을 썼다고 한다. 비록 아내 로잘린과 훌륭하고 허심탄회한 관계를 유지하였지만, 이것만으로는 그가 업무상의 정신적 부담을 해소시키기에는 역부족이었다. 이와 마찬가지로 기업의 경영자와 관리자들도 지위로부터 발생하는 고립 때문에 감정을 분출하지 못하는 어려움을 자주 겪는다.

성품의 기반

개인이 자신의 윤리적 신념을 갖게 되는 과정에는 몇 가지의 다른 관점이 있다. 첫째가 칸트의 철학에 바탕을 둔 '원칙 중심의 윤리(rule-based ethics)' 관점이다. 이는 인간은 누구나 도덕적인 삶을 살아야 하며, 도덕적 요구가 인간의 다른 어떤 요구보다 중심이 되어야 한다고 강조한다. 칸트는 인간은 누구나 도덕적 의무를 따라야 하는데 그것은 행동의 결과가 어떤 것이든 상관없이 도덕적인 의무를 준수해야 한다고 강조한다.

둘째 관점은 '결과 중심의 윤리(consequence-based ethics)'이다. 이것은 존 밀(John S. Mill)과 제레미 벤담(Jeremy Bentham)에 의해서 주장되었다. 이 관점은 윤리성의 판단 기준으로 '행동의 결과'가 어떤 것이냐에 초점을 둔다. 선택된 행동은 최대 다수의 최대 행복을 가져와야 하며, 따라서 자신의 도덕적 의무가 무엇이든 행동으로 인한 최종 결과가 좋다면 윤리적이라는 관점이다.

이 두 가지의 윤리적 관점은 '무엇을 할 것인가'를 판단하는 것을 공통의 목표로 가지고 있다. 그러나 이 둘은 이 문제를 해결하는 방법에서 차이가 있다. 결과 중심의 윤리관은 '무엇을 할 것인가'를 결정하기 전에 먼저 '무엇이 선인가, 또는 무엇이 좋은 결과인가'를 결정해야 한다. '무엇이 좋은 결과인가'에 대한 해답을 가지고 나면 그것을 달성할 수 있는 최상의 방법을 찾을 수 있게 된다. 원칙 중심의 윤리관은 무엇을 해야 할 것인지에 대한 판단은 도덕성을 기초로 해야 한다고 강조한다. 예를 들면 결과 중심의 윤리주의자들은 낙태가 비록 잘못된 것이지만 어머니의 생명을 보호하기 위해서는 허용될 수 있다고 생각하는 반면에, 칸트주의자 또는 원칙 중심의 윤리주의자들은 비록 어머니의 생명을 잃을 수 있을지라도 낙태는 허용될 수 없다고 주장하는 것이다.

이 두 개의 윤리관은 개인이 어떠한 행동을 해야 할 것인지에 대한 최소한의 기준을 제공해 준다. 하지만 둘 다 개인이 어떻게 보다 나은 사람이 되며, 나아가 조직의 보다 나은 구성원이 될 것인지에 대한 도움을 주지 못한다. 이 문제를 해결하는 데 도움이 되는 것이

셋째의 관점인 '선행 중심의 윤리(virtue-based ethics)' 관이다. 이것을 아리스토텔레스적인 윤리관이라고 하는데, 그 이유는 아리스토텔레스가 처음으로 '개인과 조직의 일원으로서의 개인' 문제를 다루었기 때문이다. 이에 의하면 우리는 단순히 정책이나 절차를 정하는 것만으로는 윤리적 조직을 만들 수 없다. 조직을 윤리적인 것으로 만들기 위해서는 먼저 구성원이 윤리적이 되어야 하며, 그래야 비로소 전체 조직이 윤리적이 될 수 있다는 것이다.

결론

우리가 어떤 성품을 개발하고 유지하느냐는 개인적인 유익을 가져오는 것에 그치지 않고, 조직과 사회 전체에까지 영향을 미친다. 따라서 경영자나 관리자가 흔들리지 않는 성품을 가지고 있다는 것은 조직 내외에 큰 자산이 된다. 불의의 유혹에 견딜 수 있으며, 나아가 주변의 사람에게까지 적극적인 영향을 미칠 수 있는 성품은 개인의 삶이나 직장생활의 수많은 사람들에게 영향을 미칠 뿐만 아니라, 세상의 모든 사람에게 보다 좋은 세상을 만드는 데 이바지한다.

비록 성품이나 개인적 정직성은 본인에게도 중요한 사항이지만, 특히 다른 사람에게 영향을 미치는 위치에 있는 사람들, 예를 들어 조직을 경영하거나 다른 사람들에게 역할 모델이 되는 사람의 경우에는 더욱 중요하다. 조직의 리더들이 정직한 성품을 가지고 경영할 때 세상은 보다 살기 좋은 곳이 된다.

1. 정직성은 자신이 옳다고 생각하는 믿음과 행동이 일치하는 성품을 말한다.

2. 우리의 성품은 우리가 선택한 의사결정과 그로 인한 결과에 책임을 지는 것에 의해 점진적으로 개발된다.

3. 의사결정은 우리가 믿고 있는 윤리관에 의해 영향을 받게 된다. 이들 윤리관에는 원칙을 따르는가, 행동의 결과를 고려하는가, 아니면 주어진 상황에서 최선의 방법을 적용할 것인가 등의 관점이 있다.

4. 우리가 어려운 결정을 하고, 그것을 준수할 때 우리의 성품은 더욱 강해진다.

5. 우리의 성품을 평소에 튼튼하게 할수록 어려운 상황에서 결정을 하기가 쉬워진다.

Executive
Health

Part IV

자기 완결적 경영자

The self-reliant executive

10장

성취와 성공을 위한 안정적 발판

개인의 진정한 자유는 경제적인 안정과 독립이 없이는 불가능하다.

배고프고 직장이 없는 사람에게 독재주의가 발 붙이게 된다. 공화국의 희망은

최저 이하의 빈곤이나 또는 자기 탐욕적인 부를 방지하는 것이다.

— 프랭클린 루스벨트

경영자가 기업 경영에서나 개인적 삶에 있어서 성취와 성공을 이루기 위해서는 건강을 강화하고 유지해야 한다. 건강과 웰빙에 대해 균형 잡힌 관심을 가지고 노력하는 것은 지속적이고, 장기적인 성취를 이루는 데 핵심적 요소이다. 반대로 말하면, 건강관리를 소홀하게 한다는 것은 경영자와 관리자를 실패하게 하거나 심지어 사망에까지 이르게 할 수 있음을 의미한다.

건강을 강화하고 유지하는 가장 기본적 전략은 먼저 자신의 건강상의 강점과 약점 또는 취약점을 파악하는 것이다. 이어서 자신의 강점은 더욱 발전시키고, 취약점에 대해서는 위험을 미연에 방지해야 한다. 즉, 건강과 관련해 자신에 대한 정보를 알고서, 위험이 발생하지 않도록 예방적인 노력을 기울이는 것이 무엇보다 중요하다.

오늘날은 경영자와 관리자들에게는 위험을 수반한 도전과 변화의 시대이지만 동시에 기회가 될 수도 있다. 조직을 이끌어 가는 리더들은 새천년의 도전을 극복할 수 있는 경쟁력 있는 조직을 만들기 위해서나 또는 스트레스를 극복하고 활력 있는 자신의 삶을 위해서도 육체적으로는 강인하고, 정신적으로도 안정적이어야 할 필요가 있다. 육체적으로나 정신적으로 건강한 사람들은 성공과 성취를 이룰 수 있을 뿐만 아니라 활기찬 경제활동을 통해 세상의 많은 사람들의 웰빙을 증진하는 데 이바지한다.

이 책의 요약

1장에서는 경영자와 관리자들의 건강상 위험 요인과 강점 요인을 감안한 경영자 건강모델을 제시했다. 대부분의 경영자와 관리자들은 이 건강모델의 의미를 잘 이해하고 있으며, 오늘날 건강에 대한 도전과 위험 요인에는 어떤 것들이 있는지 알고 있다. 그러나 경영자와 관리자들이 간과하기 쉬운 것은 일상의 업무와 활동 리스트 중에서 건강과 자기관리를 위한 활동에 우선순위를 부여하지 않고 있다는 것이다. 이러한 건강에 대한 소홀함은 경영자와 관리자뿐만 아니라 이들이 이끌고 있는 조직과 구성원에게까지 심각한 어려움을 초래한다. 건강한 경영자들은 자신과 조직이 소속된 지역 사회의 웰빙에까지 긍정적 도움을 줄 수 있다. 따라서 적절한 예방적 건강관리 프로그램은 성공적인 경영자를 위한 핵심적 투자 항목이다.

경영자의 건강을 위협하는 위험 요인들

경영자와 관리자의 직위가 여러 가지 좋은 점도 있지만, 주의하고 관리하지 않으면 안 될 건강상의 위험 요인도 가지고 있다. 경영자들의 건강을 위협하는 4가지의 위험 요인에는 아킬레스건 현상, 리더의 외로움, 과중한 업무와 스트레스 그리고 사업상의 실패와 위기이다. 이러한 요인들은 파트 II의 4개의 장에서 논의했다.

아킬레스건 현상이란 각 개인이 유전적, 또는 후천적 요인으로 가지고 있는 건강상의 취약점을 말한다. 가족들의 건강이나 질병의 특성, 예를 들어 심혈관 질환, 우울증, 기타 가족들에게 많이 나타나는 질병의 유형을 관찰함으로써 경영자 자신의 건강상의 취약 포인트를 찾아낼 수 있다. 물론 이러한 것들이 발병의 개연성을 높여 주는 것은 사실이지만 그렇다고 반드시 질병이 발생한다는 것은 아니다. 이러한 위험 요인이 존재하는 경우에도, 이를 사전에 인식함으로써 예방 조치를 취할 수 있다. 위험 요인의 조기 발견과 이의 적절한 관리가 예방적 건강관리의 핵심적인 가르침이다.

리더의 외로움은 별도의 방을 쓰는 경영자와 같이 사회적으로 고립된 리더들에게 나타날 수 있는 건강 위협 요인이다. 경영자나 고위 관리자들은 흔히 강인하고 독립심이 강한 사람으로 생각되지만, 이들이라고 주변 사람으로부터 인정, 칭찬, 또는 감정적인 안정감을 필요로 하지 않는 것은 아니다. 사실 경영자들에게도 인간으로서의 의존적 욕구가 있는 것은 당연한 일이다. 따라서 경영자가 조직 내에서 속마음을 털어놓을 수 있는 동료를 찾지 못하는 경우에는 정신

건강에 좋지 않은 고독감을 느끼게 된다.

업무 과부하, 스트레스 그리고 출장은 경영자의 건강을 위협하는 세 번째 사항들이다. 많은 경영자들의 주당 평균 근무시간은 60~70시간이며, 이 시간에 경영자는 조직 내외의 다양한 이해관계자와 힘든 상호작용을 계속해야 한다. 끝으로 성과를 달성해야 한다는 스트레스가 경영자들이 이겨 내야 할 가장 중요한 업무 부담이 된다.

사업상의 위기와 실패는 경영자들이 경험하게 되는 가장 심각한 건강 위협 요인이다. 사업의 부도, 일시적인 위기, 산업재해, 파산, 개인 신상의 위협 그리고 신체적 위협 등이 여기에 해당한다. 베일런트(Vaillant) 교수의 고전적 연구에 따르면, 인터뷰 대상이었던 모든 경영자와 관리자들은 삶의 과정에서 어느 정도의 위기와 고통을 경험한 것으로 확인이 되었다. 그럼에도 불구하고 한 사람의 삶의 특성을 결정짓는 것은 위기나 고통을 겪은 경험이 있느냐가 아니라, 위기와 고통을 어떻게 관리하고 극복했느냐이다. 그러므로 경영자와 관리자들은 자신의 삶에서 언젠가는 위기와 실패가 닥칠 것을 예측하고 있어야 하며, 다만 어떻게 극복할 것인지에 대한 준비를 해 두는 것이 중요하다.

강점 요인을 통한 건강 증진

건강 위험 요인을 찾아내고 이를 잘 관리하는 것이 중요하지만, 이것은 첫 번째의 노력에 불과하다. 경영자가 관심을 가져야 할 두 번째 중요한 사항은 강점 요인 관리이다. 예방의학(preventive medicine)과 긍정 심리학(positive psychology)의 핵심 원리는 강점을 늘려가는 것이다. 이 책의 파트 III에서 4개의 장에 걸쳐서 살펴본 강점 관리 방안으로는 육체적 건강관리, 직업적인 것과 개인적인 분야에서의 인간관계 네트워크의 확대, 스트레스 관리기법 그리고 삶의 다양한 영역에서의 균형 잡힌 투자 등이다.

육체적 건강관리의 가치를 옹호하는 연구나 증거들은 매우 많다. 육체적 건강의 유지는 운동과 적절한 식습관으로 가능한데, 운동에는 에어로빅과 심장의 건강, 유연성 그리고 근육 강화의 3가지가 필요하다. 최적의 체력관리는 육체적 건강은 물론 정신적인 건강을 증진시켜 준다. 육체적 운동이라고 해서 운동선수와 같이 힘든 수준으로 할 필요는 없다. 왜냐하면 경영자와 관리자가 육체적 건강을 위해 운동선수가 될 필요는 없기 때문이다. 경영자에 알맞은 운동으로는 힘차게 걷기 등 다양한 종류를 선택할 수 있다.

경영자들은 직업적이거나 개인적인 인간관계 네트워크를 통해 활력을 얻는다. 가족, 친구 등으로부터 얻을 수 있는 정서적인 지원과 조언, 피드백 등을 통해 경영자들은 자신을 이끌어 갈 수 있는 에너지를 얻을 수 있다. 경영자가 오랜 기간에 걸쳐 발전시켜 온 직업적이고 개인적인 인간관계 네트워크는 어려운 상황을 만났을 때에 새롭게 도약할 수 있는 발판으로서의 안전판 역할을 한다.

그러나 인간관계도 네트워크의 활용도 자신이 직접 해야 하는 스트레스 관리기법, 예를 들어 시간관리, 계획, 이완기법, 영적인 활동들을 대신해 줄 수는 없다. 경영자와 관리자들은 가장 힘들고 도전적인 시간에 자신을 다스리고 관리할 수 있는 '자기관리 도구(self-care tools)' 들을 가지고 있어야 한다. 이러한 개인적인 스트레스 관리 기법들을 예방적 스트레스 관리 기법과 보완적으로 사용하면 힘들고 어려운 순간에도 자신감과 활력을 유지하는 데 도움이 된다.

끝으로 생활에서의 균형을 추구하는 것은 경영자와 관리자에게 대단한 활력의 원천이 된다. 히포크라테스(Hippocrates)는 사람의 몸에서 균형은 건강을 의미하며 불균형은 질병의 위험으로 간주했다. 우리는 경영자가 삶의 여러 가지 영역에 걸쳐 균형 잡힌 투자를 하는 것이 건강을 유지하는 핵심 요소라고 생각한다. 비유적으로 말한다면 '한 바구니에 모든 계란을 담지 말고' 다양한 포트폴리오 전략을 구사하라는 재무적인 투자전략에 대한 권고와 마찬가지로, 건강한 삶을 위한 투자에도 직장과 개인생활에서의 다양한 활동에 투자하기를 권한다.

직장과 개인생활에서의 균형 찾기

직장과 개인생활의 균형을 유지하는 것은 너무나 중요하기 때문에 이곳에서 다시 한 번 살펴볼 필요가 있다. 일에 지나치게 집착하고 과도하게 일 중심적으로 생활하는 것이 건강에 어떤 영향을 미치는지에 대한 초창기 연구는 1869년에 폰 도이치(Von Deuch)에 의해 이루어졌다. 그의 연구는 과도한 업무가 심장혈관에 미치는 영향에 대한 본격적인 연구로는 최초였으며, 이후 프리드먼(Friedman)과 로젠만(Rosenman) 등의 연구가 이어졌다.

과도하게 일 중심적인 생활 스타일과 반대로, 지나치게 일에 대

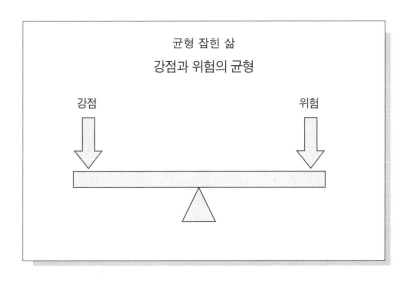

균형 잡힌 삶
강점과 위험의 균형

강점   위험

해 무관심한 생활 스타일도 건강상의 위험을 초래한다. 따라서 이
두 가지 유형 모두가 경영자나 관리자가 추구할 바람직한 방향은 아
니다. 지나치게 일에 집착을 하는 것은 자신의 건강과 가족에 매우
나쁜 영향을 미치며, 반대로 일에 대한 관심의 부족은 업무 성과의
미흡함을 초래하며 더 나아가 실직으로 이어질 수도 있다.

그러면 어떻게 경영자나 관리자가 위 두 가지의 역할 사이에서
균형을 찾을 수 있을까? 자신의 삶에서 투자해야 할 다양한 영역의
활동에 걸쳐서 균형을 유지하면서, 동시에 각 분야에서 탁월한 성과
를 달성한다는 것은 매우 어려운 일이다. 아리스토텔레스적인 관점
을 빌린다면 이것은 극단이 아닌 중용의 자세를 취하면서 행복을 추
구하는 것이다. 일과 일 이외의 활동의 균형을 유지하기 위해서는
의식적인 노력이 필요하다.

화를 내는 것은 쉬운 일이지만 타당한 상대에게 알맞은 수준으로

그리고 알맞은 시간에 화를 내는 것은 쉬운 일이 아니다. 이와 마찬가지로 삶의 다양한 영역에서 균형을 유지하고 중용의 자세를 견지할 수 있기 위해서는 자기통제와 인간관계 관리 기술을 가지고 있어야 한다. 이것을 100% 달성한다는 것은 예술의 영역이겠지만, 우리는 계속 노력할 뿐이다.

건강을 유지하며 성공을 이루기 위한 가이드라인

경영자와 관리자들의 직업적 특성과 인구통계학적인 자료 등을 바탕으로 생각해 볼 때, 세상에는 건강을 지키면서 성공과 성취를 이룰 수 있는 방안이 단 한 가지만 존재하는 것은 아니다. 효과적인 건강관리를 위해서는 수많은 방안이 가능하며, 어떤 하나의 방안이 다른 것보다 반드시 효과가 뛰어나다고 할 수 있는 것도 아니다.

그러므로 경영자들은 건강 증진에 도움이 되는 다양한 종류의 아이디어들을 무시하지 말고 그 중에서 자신이 활용 가능한 방법을 생각해야 한다. 즉, 삶의 과정이나 개인적 선호 그리고 자신이 처한 환경 등에 알맞은 방법을 찾아내고 자신의 것으로 만들어야 한다.

건강한 삶을 위한 원칙은 크게 두 가지로 정리해 볼 수 있다. 첫째, 자신의 취약점을 발견하고 위험 요인을 관리하면서 동시에 강점을 증대시켜 가는 접근이다. 둘째, 직장은 물론 가족 그리고 신앙적인 분야 등에서 폭 넓고 지속적인 인간관계를 발전시키는 것이다. 독불장군으로는 스트레스 해소에도 한계가 있으며, 사회적 지원 네트워크(social support network)가 필요하기 때문이다.

힘들고 도전적인 업무 속에 하루하루를 보내는 경영자의 생활은 자칫 활력을 소진시키기 쉬우므로, 지속적인 삶의 웰빙을 이루기 위해서는 자신에 대한 보살핌과 자기관리가 매우 중요하다. 이를 위한 가이드라인을 정리하면 다음과 같다.

1. 체력을 강화하고 선천적 소질을 개발하라.
2. 취약점과 위험요소를 찾아내고 이를 관리하라.
3. 삶의 실패와 고통을 받아들이고, 다시 일어서라.

강점 강화와 선천적 소질의 개발

모든 경영자들은 각자 나름의 선천적 능력과 소질을 가지고 있다. 이러한 능력이야말로 건강과 성공을 달성하는 데 가장 기초가 된다. 왜냐하면 이것들이 경영자들의 긍정적인 특성을 잘 나타내 주며, 내면의 갈등 없이 정직하게 살려고 한다면 누구나 자신의 진실된 모습으로 살아야 하기 때문이다. 이러한 특성을 보여 준 사례들 중에는 최연소의 나이로 미국 대통령이 되었던 테어도어 루스벨트, 마이크로소프트사를 세운 빌 게이츠 등을 생각할 수 있다.

루스벨트는 어린 시절에 허약하고, 천식을 앓았지만 점차 강인하고 대담한 대통령으로 변신했다. 그는 자신의 건강상의 한계와 취약점들에 초점을 맞추지 않고, 오히려 자신이 가지고 있는 신체적 재능을 활용해 역기 운동에 시간과 에너지를 투자했다. 즉, 자신의 선천적 소질을 개발하고, 자신의 강점을 강화해 육체적으로나 정서적

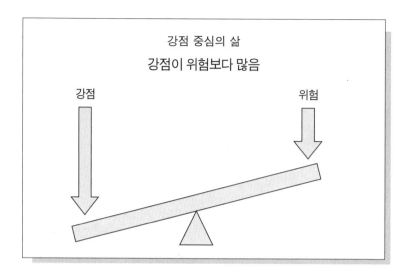

강점 중심의 삶
강점이 위험보다 많음

강점   위험

으로 매우 강인한 사람으로 거듭났다. 그는 미국 역사상 가장 확신과 활력이 넘치는 강력한 리더십을 실천한 본보기가 되었다.

세계 최고의 부자인 빌 게이츠는 자신이 천문학적인 돈을 벌 수 있었던 것은 같은 시대를 살아가는 사람들의 도움이 있었기에 가능했다는 생각을 가지고 있으며, 이를 사회에 환원하는 기회가 있을 때마다 실천하고 있다.

빌 게이츠는 세계의 문제를 해결하는 데에는 기술만으로는 한계가 있다고 주장했다. 이런 맥락에서 그는 세계보건기구와 연합해 인류의 건강증진 문제에 노력했다. 예를 들어, 세계의 가난한 사람들의 건강에 대한 의료지원과 연구를 위해 55억 달러를 기부했다.

빌 게이츠가 기부한 엄청난 규모에는 미치지 못해도, 수많은 경영자들이 '로터리 재단(Rotary Foundation)' 등 대체적인 기구를 통해 사회적 기부를 하고 있다.

이들은 모두 각자의 성취와 성공을 이루는 데 자신들의 강점을 활용했다. 이러한 강점들은 일생 동안의 의욕적 활동 속에서도 건강과 삶의 웰빙을 증진시켜 주는 원천이 되었다.

약점의 발견과 취약점의 관리

경영자와 관리자들은 모두가 선천적인 소질과 나름의 강점을 가지고 있지만, 동시에 건강과 성취를 위협할 수 있는 취약점을 가지고 있다. 강점은 건강과 성취를 이루는 밑바탕이 되지만 반대로 취약점은, 적절히 관리되지 못하면, 강점과 성공의 기초를 갉아 먹거나 무너뜨리게 된다. 성공한 많은 경영자와 관리자들은 자신의 건강상의 취약점과 약점을 파악하고 이를 잘 관리하여 이러한 약점들이 자신의 성공과 사회에 대한 기여를 가로막지 못하게 했고, 건강을 잃지도 않았다. 윈스턴 처칠과 존 록펠러가 좋은 예이다.

이들의 성공적인 사례를 언급하기 전에, 취약점을 관리하지 못해 자신을 비극으로 이끌어 간 존 커티스(John Curtis)나 클리포드 백스터(Clifford Baxter)의 경우를 먼저 살펴보자. 두 사람 모두 환경은 다르지만 성공적인 기업인이 자살을 한 경우이다. 존 커티스는 1990년 중반에 대형 고급 체인식당인 '루비 카페'의 CEO가 되기까지는 성공적인 삶을 영위해 왔다. 그는 고등학교 시절의 첫 사랑과 결혼해 3명의 자녀를 두었으며, 교회나 지역 사회 활동에도 적극적으로 참여하는 그런 사람이었다. 회사 경영도 큰 문제가 없었는데, 49세의 나이에 결혼 18년째에 접어든 완숙한 시기에 그리고 CEO가 된

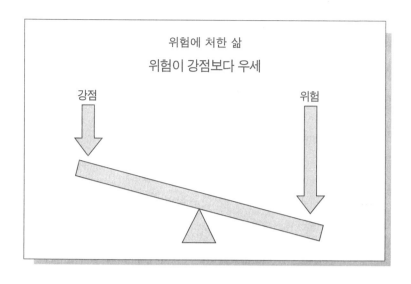

위험에 처한 삶

위험이 강점보다 우세

강점

위험

지 3개월 만에 스트레스를 이기지 못해 싸구려 모텔에서 자살을 했다. 클리포드 백스터는 회계부정으로 파산을 한 '엔론'의 고위 경영자였다. 그는 엔론을 퇴직한 후 회계부정에 대한 조사와 재판이 진행되던 시점에 40대 초반의 나이로 자살을 했다.

위의 경영자들처럼 자신의 취약점과 약점이 자살이나 사망으로 이르도록 자신을 잘못 관리했다는 것은 어리석은 일이다. 윈스턴 처칠 전 영국수상의 경우는 자신이 체질적으로 우울증의 경향이 있다는 취약점을 인식하고 이를 잘 관리한 성공적인 사례이다.

경영자가 정신적으로 건강한 상태를 유지하는 것은 논리적이고 효과적인 의사결정을 하는 데 매우 중요하다. 어느 조직에서나 건전한 의사결정을 할 수 있는 체제를 유지하는 것은 중요하지만 특히 전쟁 중에 있는 국가의 경영에서는 더욱 중요하다. 제2차 세계대전 기간에 영국의 수상이었던 윈스턴 처칠의 경우가 이에 해당하는데,

당시 그의 판단 여하에 따라 세계의 미래가 좌우되는 상황이었다. 성인이 된 이후부터 처칠은 우울증을 수시로 겪게 되는데, 그는 이를 의도적인 육체적인 활동을 통해 그리고 아내 클레멘타인과의 편지를 통한 풍성한 감정 표출을 통해 효과적으로 극복했다. 우울증이라는 자신의 취약점을 넘어서서 처칠은 전쟁에서 연합국이 승리할 수 있도록 나라를 이끌었다. 그는 자신의 위험 요인을 너무나 성공적으로 관리했기 때문에 수상 재임 기간 동안 대부분의 사람들은 그에게 정신적인 취약점이 있다는 사실을 거의 몰랐다.

존 록펠러는 전혀 다른 취약점을 가지고 있었다. 우리는 앞에서 그가 젊은 시절에 자신의 약점과 취약점 때문에 남을 믿지 못하고, 돈에 너무 집착하는 천박함을 보였음을 살펴보았다. 여러 가지 면에서 록펠러는 생애 전반기 동안 흡사 스크루지와 같은 사람이었다. 그는 노동의 대가로 이룬 과실을 즐길 줄도 몰랐으며, 이미 모아 둔 재산을 잃어버리지나 않을까 끊임없는 근심 속에서 지냈다. 이 기간 동안 그의 행동은 너무나 천박했기 때문에 심지어 그의 친형제로부터도 외면당했다. 드디어 그는 50대 중반이 되었을 때, 소화가 안 되어 음식을 먹을 수 없을 정도로 건강이 악화되자 정신을 차리게 되었다. 이때 그는 우유나 비스킷을 소화시키는 것도 어려운 정도였다. 뿐만 아니라 머리카락도 거의 다 빠졌다. 그는 당시에 스스로를 죽음으로 이끄는 생활을 하고 있었으며, 이를 바꾸지 않으면 어떤 것도 그를 살릴 수 없다고 의사들이 진단했다.

다행스럽게도 그는 이 시점부터 더 이상 재산을 잃을까 근심하는 것을 중단했으며, 생활을 즐기고 또한 남을 위해 재산을 쓰기 시작했다. 즉, 자신의 취약점과 위험 요인을 관리하기 시작함으로써, 그는 자신의 삶을 새롭게 바꾼 것이다. 비로소 그는 공포를 극복하고 편안함을 찾았으며, 자신이 가진 것을 남과 나눔으로써 얻는 진정한 즐거움을 알게 되었다. 53세에 외롭게 죽을 뻔했던 그는 결국 98세까지 건강한 삶을 살았을 뿐 아니라 수백만 명의 삶을 개선시키는 데 자신의 재산을 사용했다.

약점과 취약점은 누구나 가지고 있는 인간적인 특성이다. 중요한 것은 약점과 취약점이 부정적인 결과를 초래하지 않도록 미리 인식하고 지혜롭게 관리하는 것이다. 이러한 약점은 윈스턴 처칠의 경우처럼 정신적인 것일 수도 있으며, 신체적인 것일 수도 있다. 이들은 자신의 취약점을 지혜롭게 관리했다.

실패와 고통을 받아들이고 다시 일어서기

실패와 고통은 모든 경영자들이 한번쯤은 경험하거나 예상할 수 있는 일이다. 그러나 그들의 삶의 운명을 결정하는 것은 고통과 실패의 경험 자체가 아니었다. 오히려 성공적이었던 사람들은 실패와 고통을 일단 받아들이고, 이를 딛고 일어나서 자신의 삶을 계속했다는 점에서 차이가 있다. 이 교훈은 프랭클린 루스벨트, 캐서린 그래함, 존 템플턴 등 수많은 성공적인 경영자들에게서 찾아볼 수 있다.

프랭클린 루스벨트 대통령은 제2차 세계대전과 대공황 등 미국 역사상 가장 어려웠던 시기에 탁월한 리더십을 보여 주었다. 비록 루스벨트 대통령은 대단히 활력 있는 정치인이며 설득력 있는 연설로서 세계적으로 힘 있는 리더였지만, 그는 청소년 시절의 소아마비 때문에 휠체어로 다녀야 하는 등 활동에 큰 제약을 받았다. 루스벨트는 태어날 때에는 건강했으나, 나중에 앓게 된 소아마비 때문에 두 발을 평생 동안 쓸 수 없게 되었다. 그러나 그는 너무나 많은 노력을 했기 때문에, 대통령을 역임하는 동안 그가 장애인이라는 사실을 아는 사람은 거의 없을 정도였다. 그는 하체의 약점을 보완하기 위해 상체의 강점을 강화했으며, 하체가 해야 할 역할은 다른 사람의 도움을 받았다. 루스벨트는 자신의 부족한 부분을 받아들이고 나서 다양한 전략과 노력을 경주해 약점을 보완하는 데 성공했다.

존 템플턴의 사례는 아내의 죽음으로 인한 비극을 극복한 경우이다. 그는 아내의 죽음으로 낙담하는 대신 이 비극을 통해 자신의 삶에서 균형을 찾는 것이 중요하다는 사실을 인식하였다. 아내의 사망 이후에 템플턴이 취한 변화를 통해 우리는 비록 사람이 인생의 전반부에서 균형을 잃거나 잘못되어도, 그것을 바로 잡을 기회가 있다는 점을 알 수 있다. 그동안 월스트리트에서 장시간 힘든 일만 했던 템플턴은, 록펠러의 경우와 마찬가지로, 자신의 삶에서 무엇인가 빠져 있다는 것을 알게 되었다. 결국 그는 1987년에 '존 템플턴 재단'을 설립하고 세계적으로 100개 이상의 프로그램을 지원하는 데 자신의 재산을 사용했다.

약점과 취약점을 잘 관리하지 못하면 비극을 초래할 수 있는 것처럼 실패와 고통도 경영자들의 삶을 파괴할 수 있다. 그러나 이를 잘 받아들인 후에 이를 딛고 일어서서 극복하는 전략과 노력을 기울이면 건강하고 생산적인 삶을 계속할 수 있다.

자기 의존과 안정적 네트워크

삶을 살아가는 동안에는 누구나 다른 사람과 상호 의존적일 수밖에 없다는 현실을 감안할 때, 자기 의존(self-reliance)적이어야 한다는 의견은 역설적으로 들리기 쉽다. 그러나 자기 의존을 독립적으로 혼자서 해결한다는 의미로 생각하는 것은 환상이며, 이러한 의미대로 생활한다면 이것은 건강과 웰빙을 증대시키는 데에도 도움이 되지 않는다.

자기 의존은 '자신의 강점과 약점 그리고 취약점을 사실 그대로 받아들인다' 정도로 해석하는 것이 바람직하다. '내가 두 발과 두 팔 그리고 시간이 있다면 모든 것을 나 혼자서 해결하겠다'는 환상을 추구하기보다, 진정으로 자기 의존적인 경영자는 자신의 한계가 있는 사항에 대해 이를 솔직히 받아들이고, 부족한 부분에 대해서는 함께 일하는 다른 사람의 재능과 강점을 활용하는 것이 옳다는 관점이다. 이와 같이 다른 사람과 강점을 주고받는 건강한 관계를 형성해 가는 것은 상호간에 안정적인 네트워크를 구축하게 되고 경영자나 관리자가 언젠가 경험할 수 있는 어려움과 도전을 극복할 수 있는 안전망을 제공해 준다. 따라서 안정적인 네트워크를 구축하고 자기 의존적인 전략을 동시에 추구하는 것은 경영자가 건강을 예방적으로 관리하며 성공적인 삶을 영위하는 데 중요하다.

10장 정리

1. 강점을 증대하고 선천적 소질을 개발하라.

2. 자신의 약점과 취약점을 발견하고 이를 관리하라.

3. 실패와 고통을 받아들이고 이를 극복하라.

4. 경영자의 건강은 훌륭한 삶을 위한 주춧돌이며, 결과물이 아니다.

5. 자신의 재능과 재산에 대한 책임감을 가지고, 남들에게 너그럽게 베풀고, 자신이 받을 때는 진심으로 감사하라.

CEO 건강경영

초판 1쇄 인쇄 2005년 4월 15일
초판 1쇄 발행 2005년 4월 20일

지 은 이 제임스 캠벨 퀵 외
옮 긴 이 김영기
펴 낸 이 성의현
펴 낸 곳 미래의창

등   록 제 10-1962 (2000년 5월 3일)
주   소 서울시 마포구 합정동 411-2 평화빌딩 3층
전   화 325-7556 (편집), 338-5175 (영업)
팩   스 338-5140
홈페이지 http://www.miraebook.co.kr (한글주소: 미래의창)
이 메 일 edit@miraebook.co.kr
        miraebook@miraebook.co.kr

ISBN 89-89353-90-4 03320